CW00430626

COLLECTION FOLIO

Romain Gary

Le Vin des morts

Édition établie et présentée par Philippe Brenot

Gallimard

Romain Gary, né Roman Kacew à Vilnius en 1914, est élevé par sa mère qui place en lui de grandes espérances, comme il le racontera dans *La promesse de l'aube.* Pauvre, « cosaque un peu tartare mâtiné de juif », il arrive en France à l'âge de quatorze ans et s'installe avec sa mère à Nice. Après des études de droit, il s'engage dans l'aviation et rejoint le général de Gaulle en 1940. Son premier roman, *Éducation européenne,* paraît avec succès en 1945 et révèle un grand conteur au style rude et poétique. La même année, il entre au Quai d'Orsay. Grâce à son métier de diplomate, il séjourne à Sofia, New York, Los Angeles, La Paz. En 1948, il publie *Le grand vestiaire* et reçoit le prix Goncourt en 1956 pour *Les racines du ciel.* Consul à Los Angeles, il quitte la diplomatie en 1960, écrit *Les oiseaux vont mourir au Pérou (Gloire à nos illustres pionniers)* et épouse l'actrice Jean Seberg en 1963. Il fait paraître un roman humoristique, *Lady L.*, se lance dans de vastes sagas : *La comédie américaine* et *Frère Océan,* rédige des scénarios et réalise deux films. Peu à peu les romans de Gary laissent percer son angoisse du déclin et de la vieillesse : *Au-delà de cette limite votre ticket n'est plus valable, Clair de femme.* Jean Seberg se donne la mort en 1979. En 1980, Romain Gary fait paraître son dernier roman, *Les cerfs-volants,* avant de se suicider à Paris en décembre. Il laisse un document posthume où il révèle qu'il se dissimulait sous le nom d'Émile Ajar, auteur d'ouvrages majeurs : *Gros-Câlin, La vie devant soi,* qui a reçu le prix Goncourt en 1975, *Pseudo* et *L'angoisse du roi Salomon.*

PRÉSENTATION

> « Quel serait mon plus grand malheur ?
> — Perdre le manuscrit d'un roman terminé. »
>
> ROMAIN GARY,
> in *Livres de France*, n° 3, 1967.

30 juin 1981 : le monde littéraire découvre l'identité d'Émile Ajar par un communiqué de presse des éditions Gallimard : « Émile Ajar est Romain Gary. L'écrivain le révèle dans un texte à paraître. » Trois jours plus tard, lors de l'émission « Apostrophes », Paul Pavlowitch, le neveu de Gary, lui-même *alias* « Ajar », éclaircit le mystère de son identité. Le livre de Romain Gary, *Vie et mort d'Émile Ajar,* sortira en librairie quelques jours plus tard.

Dans ce court texte posthume, Gary situe très clairement la naissance d'Ajar dans les lignes de son premier roman, *Le Vin des morts* : « Car il se trouve que ce roman de l'angoisse, de la panique d'un être jeune face à la vie devant lui, je l'écrivais depuis l'âge de vingt ans [...] tant et si bien que mes amis d'adolescence, François Bondy et René Agid, reconnurent dans *Pseudo,* à quarante ans de distance, deux passages que j'avais gardés de mon *Vin des Morts*[1]... » Les commentaires furent nombreux mais personne, à mon souvenir, ne s'étonna de cette affirmation, aucun commentaire sur ce roman au titre inconnu que Gary cite tout de même à deux reprises comme clé de son œuvre. On peut se demander pourquoi ce silence, si ce n'est, paradoxalement, parce que personne n'avait entendu parler du *Vin des morts*, hormis les amis d'enfance.

AUX ORIGINES

Roman Kacew — il ne deviendra Romain Gary qu'en 1945 à la publication d'*Éducation européenne* — naît le 21 mai 1914 à Wilno, l'actuelle Vilnius, alors en territoire polonais. Il est le fils de Mina Owczinska et d'Arieh-Leïb Kacew, négociant juif en fourrures. La biographie de Romain Gary, et notamment de ses années de jeunesse, est maintenant bien établie grâce au travail de Myriam Anissimov[2]. Les multiples et successives confessions de Gary dans *La Promesse de l'aube*, *La nuit sera calme* et de nombreuses interviews colportent une tout autre version, dessinant les contours imaginaires d'une légende, celle du personnage Gary, né à Moscou des amours fugitives d'une mère comédienne et d'Ivan Mosjoukine, le grand acteur russe du cinéma muet.

En réalité, le jeune Roman passa son enfance avec sa mère — le père, Arieh-Leïb Kacew, ayant été mobi-

1. *Vie et mort d'Émile Ajar*, Gallimard, 1981, p. 20-21.
2. Myriam Anissimov, *Romain Gary, le caméléon*, Denoël, 2004.

lisé dans l'armée russe. Il ne le reverra qu'à la fin de la guerre, en 1921. Il avait alors sept ans. Mina et Arieh-Leïb se séparèrent quatre ans plus tard, en 1925. Dès lors, Roman vécut avec Mina à Vilnius puis à Varsovie et enfin en France, où ils arrivèrent en août 1928 — Roman avait quatorze ans — pour s'établir à Nice où vivait déjà Eliasz, le frère de Mina, dont le petit-fils, Paul Pavlowitch, deviendra en 1975 le prête-corps de Gary pour figurer Émile Ajar. L'année suivante, en 1929, Mina fut engagée comme gérante d'une pension de famille, la pension Mermonts, près de la cathédrale orthodoxe, à quelques minutes seulement de la mer. C'est là que Roman, devenu Romain auprès de ses camarades de classe, vécut une adolescence fébrile, déjà habité par l'écriture. C'est là aussi, dans cet hôtel-pension au cœur du vieux Nice, qu'il écrivit ses premiers contes, ses premières nouvelles et ses premières tentatives de roman dont *Le Vin des morts*.

Romain Kacew écrivain

« J'ai commencé à écrire à l'âge de neuf ans en russe », déclare Gary dans *Le Sens de ma vie*[1]. Dans *La Promesse de l'aube*, il précise qu'il réalise sa vocation à treize ans : « Depuis plus d'un an, "j'écrivais" : j'avais déjà noirci de mes poèmes plusieurs cahiers d'écolier. Pour me donner l'illusion d'être publié, je les recopiais lettre par lettre en caractères d'imprimerie[2]. » Arrivé à Nice, Romain poursuit son travail et adresse ses manuscrits à divers éditeurs sous

1. *Le Sens de ma vie*, Gallimard, 2014.
2. *La Promesse de l'aube*, Gallimard, « Biblos », 1990, p. 735.

pseudonyme — « Un grand écrivain français ne peut pas porter un nom russe[1] », disait Mina. En 1933, Romain s'inscrit à la faculté de droit d'Aix-en-Provence. Il a dix-neuf ans et commence l'écriture du *Vin des morts* : « Je passai mon temps libre au café des Deux Garçons, où j'écrivis un roman, sous les platanes du Cours Mirabeau[2]. » L'année suivante, il poursuit ses études à Paris et continue d'écrire : « Je m'enfermai dans ma minuscule chambre d'hôtel et, négligeant les cours à la Faculté de Droit, je me mis à écrire tout mon saoul[3]. » Ses efforts sont enfin récompensés quand, le 15 février 1935, paraît dans l'hebdomadaire *Gringoire* sa première nouvelle : « L'orage ». Quelques mois plus tard, le 24 mai, une seconde nouvelle, « Une petite femme ». Ce sont les deux seuls textes à avoir été publiés sous le nom de Romain Kacew[4].

Romain commence l'écriture du *Vin des morts* à Aix-en-Provence en 1933 et le reprend jusqu'en 1937. On sait qu'il le remania encore par la suite à de nombreuses reprises, par exemple en juin 1939 en Suède, chez son ami Sigurd Norberg, lors de sa dernière tentative pour revoir Christel Söderlund[5]. Ce manuscrit l'accompagna ensuite tout au long de sa vie, comme il en témoigne dans *Vie et mort d'Émile Ajar* : « [...] l'abandonnant et le recommençant sans cesse, traînant des pages avec moi à travers guerres, vents, marées et continents, de la toute jeunesse à

1. *Ibid.*, p. 736.
2. *Ibid.*, p. 889.
3. *Ibid.*, p. 899.
4. « L'orage » et « Une petite femme » ont paru dans un volume de nouvelles : R. Gary, *L'Orage*, éd. de l'Herne, 2005.
5. M. Anissimov, *op. cit.*, p. 121.

l'âge mûr […] mon *Vin des Morts* […][1] ». Il sera enfin un texte-ressource lorsque Romain, tentant de s'évader du personnage Gary, redeviendra l'adolescent Kacew, sous le nom d'Ajar. Comme nous le verrons, il empruntera l'histoire de *Gros-Câlin* et la puanteur du « trou juif » de Madame Rosa au *Vin des morts*, et reprendra mot à mot deux passages de ce texte originel dans *Pseudo*.

Christel

Romain rencontre Christel Söderlund à Nice en juillet 1937. Christel est une jeune journaliste suédoise venue en reportage à Paris et descendue sur la Côte d'Azur avec deux amies : Ebba Greta Kinberg[2] et Juditt Balean. « Il [Romain] était aussitôt tombé amoureux de Christel qui menait une vie incroyablement libre. Épouse de Lille Bror Söderlund, elle était en instance de divorce et mère d'un petit garçon qu'elle avait laissé à la garde de sa mère pour tenter de faire carrière à Paris[3]. »

L'idylle tumultueuse de Romain et Christel (qui sera Brigitte dans *La Promesse de l'aube*) dura dix mois, de juillet 1937 à avril 1938, Christel ayant dû quitter Paris pour Vienne à la demande de son journal afin de suivre les événements de l'Anschluss. Leur relation fut ensuite épistolaire jusqu'en juin 1939, date à laquelle Romain partit pour Stockholm sans pouvoir revoir Christel, retournée vivre avec son mari. Très

1. *Vie et mort d'Émile Ajar, op. cit.*, p. 20-21.
2. La demi-sœur de Sylvia, la future épouse de René Agid, ami d'enfance de Romain.
3. M. Anissimov, *Romain Gary, le caméléon, op. cit.*, p. 116.

affecté par cette rupture, Romain n'oubliera jamais vraiment Christel. Des années plus tard il continuera à lui écrire de nombreuses lettres, toujours très amoureuses.

C'est vraisemblablement au début de 1938, lors de son départ pour Vienne, que Romain offrit le manuscrit du *Vin des morts* à Christel, possible gage de son amour absolu.

Romain et Christel avaient vécu ensemble à Paris, à l'hôtel de l'Europe, jusqu'en avril 1938 puis il l'avait invitée une semaine à Nice avant qu'elle ne gagne Vienne. Le départ fut très émouvant, Mina lui offrit deux chapeaux ornés de fleurs qu'elle avait autrefois confectionnés comme modiste, tandis que Romain, « les larmes aux yeux, lui donna une bague montée d'une pierre noire sertie de petits diamants qu'il avait reçue de sa mère[1] » et sans doute le manuscrit du *Vin des morts.* Ce livre portait alors toutes les espérances du jeune Kacew, qui venait de l'adresser en lecture à plusieurs éditeurs. On sait combien les refus successifs l'affectèrent. Dans *La Promesse de l'aube,* Gary relate avec beaucoup d'ironie le courrier que Robert Denoël lui adressa, accompagné d'une longue analyse du *Vin des morts* qu'en avait faite Marie Bonaparte. En effet, devant l'impression déroutante de ce texte impertinent, Denoël avait choisi de le faire lire par la princesse Bonaparte, psychanalyste et amie de Freud, alors très renommée. Bien que sa note de lecture n'ait pas été retrouvée, Gary nous en livre la teneur dans une version romancée qui masque à peine le dépit du refus : « C'était assez clair. J'étais atteint

1. *Ibid.*, p. 119.

de complexe de castration, de complexe fécal, de tendances nécrophiliques, et de je ne sais combien d'autres petits travers, à l'exception du complexe d'Œdipe, je me demande bien pourquoi. » Réagissant alors à ces violentes accusations, Gary poursuit : « Pour la première fois, je sentis que j'étais devenu "quelqu'un", et que je commençais enfin à justifier les espoirs et la confiance que ma mère avait placés en moi[1]. »

Un an plus tard, dans une lettre à Christel du 11 février 1939, Romain lui fera part de sa grande déception : « J'ai eu un coup dur en littérature… tu le sais sans doute. Mais je n'abandonne rien, je ne renonce à rien… pas même à toi ! » Il évoque ici les refus de publication du *Vin des morts* qu'il rappellera encore dans les premières pages de *La nuit sera calme*, à travers la remarque imaginaire de François Bondy[2] : « Je te voyais souvent, à Paris, en 1935-1937, à l'hôtel de l'Europe, rue Rollin. Quand tu ne courais pas à la recherche de cent sous, tu écrivais des romans dans ta piaule minuscule. Les éditeurs rejetaient tes manuscrits, comme "trop violents, morbides et orduriers". C'est ce que Gallimard et Denoël t'avaient répondu à l'époque[3]… »

1. *La Promesse de l'aube*, *op. cit.*, p. 890.

2. *La nuit sera calme* est un texte autobiographique sous forme d'un entretien fictif avec François Bondy, ami d'enfance, qui avait accepté que Gary fasse lui-même les questions et les réponses.

3. *La nuit sera calme*, p. 32.

LE MANUSCRIT DU *VIN DES MORTS*

Le manuscrit du *Vin des morts* est constitué d'un ensemble non relié de 331 pages de papier bruni par le temps [cf. p. 46, 70, 235 fac-similé], les premiers et derniers feuillets ayant été fragilisés par les conditions de conservation. Sur la partie haute de la couverture, des lettres capitales tracent le nom de l'auteur, « ROMAIN KACEW » ; avec au centre, toujours en capitales, le titre : « LE VIN DES MORTS ». Et, page 331, les trois derniers mots du texte : « … toile d'araignée. » suivis du mot « fin », d'une date, « janvier 1937 », et d'une signature vive barrant la page : « Romain Kacew. »

Ce manuscrit a été offert en 1938 par Romain à Christel, qui l'a conservé jusqu'en 1992, date à laquelle il a été mis en vente aux enchères publiques à l'Hôtel Drouot[1] à Paris.

À première lecture, *Le Vin des morts* apparaît comme un conte drolatique se déroulant sous terre, dans les bas-fonds d'un cimetière où l'on découvre qu'existe une vie après la mort. Il s'agit d'un « monde à l'envers », d'un « autre côté du miroir » à la Lewis Carroll, mêlant humour, absurde, *nonsense,* comique troupier et grand guignol dans les affres du premier conflit mondial, qui est l'un des référents majeur de ce texte. Il faut rappeler que Gary voit le jour en 1914, année de la déclaration de guerre, que son

1. N°120 de la vente du 3 juillet 1992 par l'étude Laurin-Guilloux-Buffetaud & Tailleur à l'Hôtel Drouot à Paris, expert : Thierry Bodin.

père fut mobilisé sur le front russe, que son enfance fut rythmée par les événements du conflit. Si l'œuvre de Romain Gary est fortement marquée par les conséquences de la Seconde Guerre, rien ou presque n'est dit sur 14-18, qui semble avoir profondément marqué le jeune Kacew.

Le héros, Tulipe[1], voyage donc sous terre dans les dédales d'un cimetière où « grouillent » des morts-vivants, caricatures grotesques du monde d'en haut. Au fil de ses rencontres, Tulipe côtoie les personnages d'un univers aujourd'hui disparu, celui de l'entre-deux-guerres, avec des figures emblématiques : les flics et les putes, les moines et les bonnes sœurs, le copain de tranchée, les exploits militaires, des soldats de l'armée allemande, le Kronprinz et ses ministres… et puis des associations cocasses : les nonnes dépravées, l'instituteur pédophile, le soldat inconnu qui serait un Allemand, le pendu qui se repend̀, la morte qui menace de se suicider…

C'est à la toute fin du roman que le titre prend son sens et que s'explique *Le Vin des morts*, Tulipe revenant à la conscience à califourchon sur une tombe, constatant, sa bouteille vide à la main, que son histoire n'était qu'un rêve.

Trois niveaux de lecture

De prime abord, *Le Vin des morts* apparaît comme un enchaînement de sketches (au sens premier du terme : *croquis*). Plus de trente thèmes peuvent être

1. Tulipe sera également le personnage central du deuxième roman de Gary, au titre éponyme, *Tulipe*, publié chez Calmann-Lévy en 1946.

ainsi identifiés, constituant autant de pulsations qui permettent de rythmer un manuscrit se présentant comme un long récit sans rupture ni scansion[1].

Trois niveaux de lecture s'imposent. Tout d'abord un premier degré fantasque, fait d'une succession de récits emboîtés où, telles des poupées russes, de courtes histoires d'humour yiddish se succèdent par association d'idées. Le parcours sinueux des catacombes en est le fil d'Ariane.

Puis une métaphore souterraine qui traverse la trame narrative d'une évidence toute-puissante : « Et si la vie n'était qu'une parodie de la mort… » Cette proposition « renversante » est un formidable ressort littéraire permettant de dénoncer toutes les bienséances et les conventions du monde ici-bas.

Enfin une critique féroce de la société bourgeoise de l'entre-deux-guerres qui, à elle seule, peut justifier le sous-titre de cette version du *Vin des morts*, « Bourgeoisie », visible sur un tapuscrit[2] et alimentant un message qui traverse l'œuvre garyenne : malgré la mort, persistent toutes les faiblesses humaines et les turpitudes de la bourgeoisie : angoisse, orgueil, vengeance, hypocrisie, cynisme, jalousie, corruption… Rien n'arrête les déviances et les perversions du pouvoir, de l'amour, de la haine… pas même la mort. Contrairement aux messages d'espérance des grands monothéismes, ce monde d'en bas n'est pas meilleur que celui d'en haut, il en est le reflet exact, et en accentue même parfois les turpitudes.

Cet « autre côté du miroir » auquel nous invite *Le Vin des morts* semble avoir été inspiré par un conte des

1. Nous avons retenu vingt-deux d'entre eux, comme autant de chapitres qui découpent ce roman.

2. M. Anissimov, *op. cit.*, p. 106.

Nouvelles histoires extraordinaires d'Edgar Poe, « Le Roi Peste », que Romain a pu lire dans son adolescence. L'histoire en est très proche. Sur les bords de la Tamise, deux marins éméchés — alcool révélateur —, poursuivis par un tavernier mécontent, se réfugient dans un quartier désaffecté de Londres car ravagé par une épidémie de peste. Ils sautent les barrières qui en interdisent l'entrée — transgression — et s'enfoncent dans les profondeurs de la ville interdite. Au milieu des décombres, dans les sous-sols d'une entreprise de pompes funèbres, ils découvrent une cave habitée de cadavres qui se prélassent dans leurs linceuls en buvant du ratafia sous la présidence du Roi Peste, prince des ténèbres. Ils pénètrent un monde d'en bas qui ne vit que pour la luxure et les beuveries : « Nous sommes réunis, proclament-ils, pour louer les trésors de la bouche, les vins, les bières et les liqueurs, pour la plus grande gloire de notre maître, celui qui règne sur nous tous et dont le nom est : la mort[1] ! »

Suprême pied de nez à la morale, l'histoire se termine par une condamnation à boire suivie d'une bagarre générale d'où nos héros vont se tirer habilement en s'enfuyant avec les deux seules femmes que comptait ce royaume des morts. La filiation est évidente — Poe/Kacew —, l'idée est la même, les moteurs du récit identiques : l'alcool et le monde souterrain. On peut penser que le jeune Romain a pu être suffisamment impressionné par ce récit, ou même interpellé par ses résonances intimes et les ressources littéraires de la métaphore des morts-vivants, que ce texte lui a fourni la trame de son premier roman.

1. E. Poe, « Le Roi Peste », in *Nouvelles histoires extraordinaires*, Gallimard, « Folio », p. 208-224.

Si le cadre du récit semble bien délimité aux ténèbres d'un souterrain macabre, un autre lieu se dessine comme un leitmotiv récurrent : la pension Mermonts.

La pension Mermonts

Ce lieu de vie constitue pour Romain une inépuisable source d'inspiration de par la diversité des pensionnaires et leurs personnalités, qui seront autant de caractères pour le jeune écrivain. Dans ses Mémoires (*La Promesse de l'aube, La nuit sera calme…*), Gary évoque le monde coloré et pittoresque de Mermonts : « Ce fut ainsi que l'Hôtel-Pension Mermonts — "Mer" comme mer, et "Monts" comme montagnes — sa façade repeinte et ses assises assurées, ouvrit ses portes à "la grande clientèle internationale, dans une atmosphère de tranquillité, de confort et de bon goût" — je cite le premier prospectus textuellement : j'en suis l'auteur […]. Trente-six chambres, deux étages d'appartements et un restaurant — avec deux femmes de chambre, un garçon, un chef et un plongeur, l'affaire marchait tambour battant dès le début[1]. » L'hôtel-pension occupait les trois derniers étages, Romain et sa mère Mina ayant chacun leur chambre, aux sixième et septième étages, comme Madame Rosa dans *La Vie devant soi* qui habitait « le sixième étage sans ascenseur ». C'est là que Romain découvre la diversité humaine : « J'avais déjà seize ans, mais c'était la première fois que je me trouvais exposé à des contacts humains à doses si massives[2]. »

1. *La Promesse de l'aube, op. cit.*, p. 863-864.
2. *Ibid.*

Les clients débarquaient avec leurs particularismes : « M. Zaremba prit une chambre pour "quelques jours", et resta un an[1]. » Monsieur Zaremba qui « jouait du piano toute la journée dans le salon du septième étage et c'était toujours du Chopin, avec tuberculose[2] ».

Dans *Le Vin des morts*, la pension Mermonts est devenue un hôtel que tient la femme du héros et qui revient comme un leitmotiv dans la bouche de Tulipe par cette phrase emblématique : « *Ma femme avait autrefois loué une chambre à*[3]... » À dix reprises, surgit ainsi le petit monde du Mermonts, de Tulipe et de sa femme (Romain et sa mère) lorsque, alertés par des bruits ou des cris nocturnes, ils découvrent l'intimité ou la face cachée de leurs pensionnaires, comme le jeune Romain découvrait les dessous de la vie. « *Ma femme avait autrefois loué une chambre...* » à l'ancien valet de pied d'un grand ministre ; à un rédacteur au ministère des Beaux-Arts ; à un instituteur pédophile ; à Monsieur Nicolas, le chanteur russe d'un chœur cosaque ; à un masturbateur invétéré ; à un curé qui ne croyait pas aux miracles... Autant de caractères qui permettent au narrateur d'insérer des histoires dans l'histoire, avec le fil conducteur d'une unité de lieu récurrente : l'hôtel conjugal.

Mermonts sera, pour Romain, le vrai laboratoire de son œuvre à venir. C'est là, avec sa mère, qu'il envisage sa carrière littéraire (devenir l'artiste que sa mère avait toujours rêvé d'être elle-même), c'est là qu'il commence à façonner le personnage Gary qui

1. *Ibid.*, p. 871.
2. *La nuit sera calme*, p. 51.
3. Par convention, dans cette préface, toutes les citations du *Vin des morts* sont en italiques entre guillemets, pour mieux les identifier (ici, p. 55).

prendra la place de Romain Kacew, ce « métèque » à l'identité trop marquée par un patronyme étranger, qui plus est, juif. C'est à Mermonts qu'il écrivit ses premières nouvelles, ses premiers contes, ses premiers romans, qu'il connut ses premières amours, qu'il fit l'apprentissage difficile de *la vie devant soi.*

On a beaucoup parlé de pseudonymes à propos de l'écrivain aux deux prix Goncourt : Romain Gary pour *Les Racines du ciel* en 1956, Émile Ajar pour *La Vie devant soi* en 1975. On ne lui connaît pas moins d'une dizaine d'identités différentes, pseudonymes, hétéronymes, noms d'usage… Dans le laboratoire maternel de la pension Mermonts, Gary s'essaye aux noms d'emprunt et précise : « […] nous décidâmes […] que le pseudonyme [François Mermonts] était mauvais, et j'écrivis le volume suivant [*Le Vin des morts*] sous le nom de Lucien Brûlard[1]. » Ce formidable pseudonyme est un condensé de Lucien Leuwen, héros du roman éponyme de Stendhal, et d'Henri Brulard, le double autobiographique de ce dernier. Ce choix révèle l'importance pour Gary d'une filiation symbolique avec Stendhal, qu'il tait consciencieusement. Il nous faut cependant remarquer que, dans cette citation, Gary orthographie « Brûlard » avec un accent circonflexe, alors que l'hétéronyme de Stendhal n'en comporte pas. Cela nous incite à penser qu'il renvoie au verbe « brûler » qui, en russe à l'impératif, se dit « gari ». Romain le confirmera dans *La nuit sera calme* : « C'est un ordre [brûle !] auquel je ne me suis jamais dérobé, ni dans mon œuvre ni dans ma vie[2]. »

1. *La Promesse de l'aube, op. cit.*, p. 867.
2. *La nuit sera calme, op. cit.*, p. 10.

Thèmes récurrents

Sept thèmes principaux nourrissent ce texte de leur récurrence : la mort, le suicide, l'enfance, la loi, la guerre, le sexe, l'alcool, teintés d'une réelle dimension scatologique et d'un humour souvent sarcastique qui permet d'une certaine façon à ce récit d'être « vivable ».

À l'image du *Memento mori,* « souviens-toi que tu vas mourir », que l'esclave chuchote à l'oreille du général romain, *Le Vin des morts* est un puissant révélateur des enjeux de la vie, amour, croyances, sentiments, ambition, rivalités, injustices... Le double jeu permanent que permet cette métaphore des morts-vivants, d'une sorte de monde à l'envers, est une ressource littéraire pour dédramatiser la mort et dénoncer les turpitudes terrestres.

L'indifférence à l'égard de la mort dont font preuve ces squelettes animés des pulsions essentielles de la vie permet à l'auteur toutes les audaces, toutes les transgressions. Si je peux ainsi parler de la mort, je le peux aussi de ce qui est interdit, condamné, illicite, prohibé, censuré, tabou, déconcertant, iconoclaste...

Modalité particulière de la mort, le suicide est étonnamment présent dans ce premier roman de Gary. Il est certain que l'effet comique de cette mort dite « volontaire » a pu jouer son rôle pour qu'elle apparaisse autant sous la plume du jeune Romain. Mais sa grande fréquence dans ce premier récit nous incite à penser que la question du suicide a pu être une forte préoccupation, une interrogation, voire une obsession ou une solution aux angoisses de l'adolescent. Dans *Le Vin des morts,* le suicide apparaît comme un mode de vivre, dans cette curieuse équivalence de la vie et de la mort.

Autre obsession, le sexe, mais le sexe impertinent des années trente avec un début de libération sexuelle. C'est l'époque de *La Garçonne*[1] et d'un monde aujourd'hui disparu, celui des bordels et des prostituées qui resurgira dans tous les romans signés Ajar.

L'enfance tient également une place à part dans *Le Vin*, un enfant guide et protecteur bienveillant de l'adulte qu'il accompagne, cliché précurseur du petit Momo au bras de Madame Rosa, tel encore Romain attentif à sa vieille mère. L'enfant surgit ici comme le traditionnel « bâton de vieillesse », figure tutélaire, dernier secours avant la mort, c'est la fille de la pute, le neveu de l'oncle Anastase, l'enfant et le Christ.

L'alcool et l'ivresse constituent enfin le fil rouge du récit. C'est par l'ivresse que Tulipe passe de l'« autre côté du miroir », c'est en prenant conscience de son ivresse qu'il en sortira à la fin du roman. Au même titre que la mort, l'alcool est un révélateur de réalités inaccessibles, de vérités cachées. Le titre du roman, *Le Vin des morts*, contient d'ailleurs l'entièreté du message : l'alcool libère les langues et délie les consciences, la mort est une réponse aux interrogations de la vie.

Cette folle ribambelle d'outre-tombe est animée d'une vraie dimension scatologique, nombre de passages du roman empruntent un lexique très désin-

1. *La Garçonne*, roman de Victor Margueritte publié en 1922 qui sera porté à l'écran en 1936 avec Suzy Solidor et Arletty, est l'histoire d'une femme libérée qui quitte sa famille pour vivre toutes les tentations charnelles et les plaisirs qui lui étaient jusqu'alors inconnus.

hibé où tous les excréments sont de mise. Pas une humeur n'est oubliée, *Le Vin* transpire la sueur, le sang, le sperme, les larmes et les excréments de tous ordres, crachats, urine, chiure, vomissure… Faut-il encore souligner que ces humeurs corporelles, incompatibles avec la mort, sont autant de signes de vie dans un univers du désespoir ?

Les influences littéraires

Si la trame générale du *Vin des morts* semble donc empruntée à la nouvelle d'Edgar Poe, « Le Roi Peste », de nombreuses influences littéraires apparaissent dans ce premier roman d'un jeune écrivain nourri de littérature et à la croisée de plusieurs cultures. On sait l'importance de la littérature russe dans l'éducation du jeune Romain : Gogol, Tolstoï, Pouchkine… ont naturellement fait partie de sa bibliothèque. Myriam Anissimov cite *Les Nuits ukrainiennes* de Gogol comme le livre préféré de Romain à l'adolescence[1]. Le très cocasse sketch de « *l'enrhumé sans nez*[2] » ne peut que nous rappeler la célèbre nouvelle de Gogol, « Le nez ». Avec son humour toujours iconoclaste, Gary se reconnaît par la suite quelques maîtres en humour : « Gogol et les Marx Brothers ».

Si l'on se tourne maintenant vers les grands classiques de la littérature française, de fréquents passages du *Vin des morts* évoquent avec évidence le monde rabelaisien et sa truculence impertinente. Quelques scènes scatologiques ou perverses peuvent également faire penser à l'œuvre du Divin Marquis,

1. M. Anissimov, *op. cit.*, p. 94.
2. *Le Vin des morts*, p. 154.

d'autant que deux personnages du *Vin* portent des noms emblématiques de l'univers sadien : Juliette des *Malheurs de la vertu* et Madame Ange, si proche de Madame de Saint-Ange de *La Philosophie dans le boudoir* : « *Elle râle… c'est le dernier spasme, Juliette ! — Le dernier spasme, oui, Mme Ange*[1] *!* » Mais il n'est pas certain que le jeune Romain ait eu accès à l'œuvre de Sade, interdite et confidentielle jusqu'en 1956, où Jean-Jacques Pauvert la fit redécouvrir.

D'autres influences ou allusions littéraires peuvent encore être évoquées ; on pense ainsi à *Ubu* d'Alfred Jarry, dont le monde « grotesque » et décalé résonne de manière identique : « *Raconte ! tonna la voix, avec une vigueur inattendue, en bavant d'excitation sur le visage de Tulipe. De par ma chandelle verte, non ! J'ai pas d'barbe. Raconte*[2] *!* », ou encore au fameux baron de Münchausen, héros emblématique de la littérature germanique du XIXe siècle dont on retrouve quelques accents dans *Le Vin* : « *Pas mal ! reconnut Tulipe. Mais mon type, il était encore plus fort ! Il se mettait, par exemple, quelques grains de plomb dans la bouche et il vous abattait avec ça son pigeon au vol, comme un rien*[3]… »

Une réflexion doit être faite ici autour d'un personnage récurrent dans l'œuvre de Gary : le « baron ». « Il apparaît comme une signature dans des romans très différents les uns des autres, confesse Gary dans *La nuit sera calme*, irrémédiablement pareil à lui-même, gentleman jusqu'au bout des ongles[4]… » Le baron que l'on retrouve dans *Le Grand Vestiaire, Les Racines du ciel, Les Couleurs du jour, Les Mangeurs*

1. *Ibid.*, p. 172.
2. *Ibid.*, p. 126.
3. *Ibid.*, p. 61.
4. *La nuit sera calme, op. cit.*, p. 310.

d'étoiles, « a toujours les joues gonflées, comme s'il était sur le point d'éclater de rire », tel le fameux baron de Münchausen gravé par Gustave Doré que Romain a évidemment eu entre les mains dans son enfance. Il dit « pipi ! » et « caca ! », « utilise les pets pour s'exprimer parce que tous les mots ont trahi[1] ». Cette description n'est pas sans rappeler le climat scatologique du *Vin des morts,* dans lequel on retrouve ce personnage sous le nom du baron Von Hohenlinden, figure imaginaire à laquelle Romain a donné le nom de la célèbre victoire de Napoléon sur l'Autriche en décembre 1800 : « *Ach, Püppchen, ach, Grätchen ! dit le baron. Nous ne voulons pas nous battre contre la France ! Nous l'aimons, la France ! Ach, ach*[2] *!* » Ce n'est pas non plus sans nous rappeler cette même récurrence chez Balzac du baron de Nucingen, personnage de *La Comédie humaine* qui apparaît une première fois dans *Le Père Goriot* puis dans *Melmoth réconcilié* et *La Maison Nucingen.* Il surgit aussi dans *Les Illusions perdues, Splendeurs et misères des courtisanes,* enfin dans *Le Député d'Arcis* où il est le convive d'un dîner. Ce baron, d'origine juive et polonaise de surcroît, qui s'exprime dans une langue mêlant l'allemand et le français à consonance alsacienne « dans son affreux patois de juif polonais », selon les mots mêmes de Balzac, ne pouvait qu'interpeller le jeune Kacew : « *Hé ! pien, mondez afec moi,* répondit le baron qui donna l'ordre de marcher vers l'Arc de Triomphe de l'Étoile », peut-on lire dans *Splendeurs et misères des courtisanes*[3]. Ce mal-parler mâtiné

1. *Ibid.*, p. 311.
2. *Le Vin des morts,* p. 69.
3. H. de Balzac, *Splendeurs et misères des courtisanes,* Le Club français du livre, 1966, p. 166.

d'accent germanique de Balzac se retrouve presque à l'identique sous la plume de Romain dans *Le Vin des morts*, c'est le « parler métèque » de l'histoire du « Soldat inconnu » : « *Alors, Bobaul, qu'il me dit avec envie, on fa d'enderrer gomme ça sous un Arg de Driomphe*[1] *!* »

Avec toute l'ambivalence attachée à ses origines, Gary, qui tait ses ascendances et n'avoue jamais ses sources, souhaite tout de même engendrer une filiation littéraire : « Quand je ne serai plus là, ou même avant, j'aimerais beaucoup que d'autres romanciers le [le Baron] reprennent et le continuent[2]. » N'est-il pas en train de dire, à mots couverts : « Je suis un passeur, j'ai suivi Balzac. Suivez-moi ! » ?

Une influence stylistique indéniable transparaît enfin dans *Le Vin des morts*, celle de Céline dont le *Voyage au bout de la nuit*, qui paraît en 1932, est porteur de valeurs nouvelles, d'un style elliptique très travaillé qui emprunte à l'argot et au langage parlé. « L'histoire, mon Dieu, elle est très accessoire. C'est le style qui est intéressant, confiait Céline à Madeleine Chapsal en 1957. Dans le *Voyage*, je fais encore certains sacrifices à la littérature, la "bonne littérature". On trouve encore de la phrase bien filée… À mon sens, au point de vue technique, c'est un peu attardé[3]. » Le jeune Romain, qui commence *Le Vin* en 1933, semble avoir été fortement marqué par le temps de la narration, le présent, qui actualise le récit et donne l'impression d'une chronique en direct. C'est ce que nous vivons avec Tulipe dans les catacombes. Kacew se joue du

1. *Le Vin des morts*, p. 103.
2. *La nuit sera calme*, *op. cit.*, p. 313.
3. Interview de Céline par Madeleine Chapsal, *L'Express*, 1957.

rythme et des sonorités du langage, rappelant ce que Céline appelait sa « petite musique » dans un langage presque parlé :

« *Alors, n'est-ce pas, j'y vais et j'trouve le type déjà très amoché, à demi crevé, le type, dans son coin. Alors, n'est-ce pas, j'le ramasse et bordel de Dieu ! j'enfonce et j'te tape dessus et j'te cogne et j'retourne les foies et j'tentre dedans et j'te dis toujours :*

— Tu avoues, hein, Toto ? Tu avoues ?

— Non ! qu'il fait, en crachant le sang, non ! j'avoue pas[1] *!* »

Mais c'est surtout *Mort à crédit*, publié en 1936, un an avant le point final de ce manuscrit, qui a de toute évidence offert au jeune écrivain un rythme narratif et un tic stylistique qu'il s'est approprié, et que Gary conservera dans sa métamorphose ajarienne. Chez Kacew comme chez Céline, les points de suspension rythment la phrase, la découpent autrement que ne le voudrait la syntaxe, ce qu'Isabelle Serça dénomme une « clôture ouverte »[2] permettant à l'action de rebondir après la clôture. L'action conjointe du point d'exclamation ajoute une valeur émotionnelle, joie, surprise, crainte, émerveillement, colère... Chez Kacew domine l'exclamation, chez Céline la suspension. Deux passage en parallèle illustrent cette réelle parenté, tout d'abord chez Céline : « Je m'élance, je déferle à travers les marches, les espaces... Flac ! Comme ça ! D'un coup pile !... En plein au milieu de l'escalier ! Mon sang fait qu'un tour !... La réflexion qui me saisit. Je bloque ! Je trembloche ! Ça va ! Ça suffit. J'avance plus d'un pas !... Des clous ! Je me

1. *Le Vin des morts*, p. 151.
2. Isabelle Serça, *Esthétique de la ponctuation*, Gallimard, 2012.

ravise ! Je gaffe[1] !... » Et cet extrait, chez Kacew, du « Valet de pied d'un grand ministre » dans *Le Vin des morts* : « *À la fin, ils ont fait venir un toubib... Le toubib l'ausculte... le tâte... le palpe... le hume... lui sent la bouche... lui écoute aux oreilles... lui met le doigt au cul ! Puis il dit : "Je vois, je vois ! Pas grave ! Évident ! Enfantin ! Élémentaire ! Un quart d'heure de bonne petite réflexion tous les matins... à jeun ! Pas plus[2] !"* »

Cette particularité stylistique, perceptible encore par instants dans *Éducation européenne*, le premier roman publié de Gary, disparaît ensuite dans l'œuvre garyenne pour surgir à nouveau chez Ajar dans les courts passages empruntés au *Vin des morts.*

LE VIN, NOURRITURE DE L'ŒUVRE DE GARY-AJAR

Le Vin des morts apparaît comme un laboratoire d'idées qui, au fil des romans, va nourrir l'œuvre garyenne, et constitue ainsi la pièce maîtresse de l'édifice Kacew-Gary-Ajar[3]. L'importance des emprunts au *Vin des morts* témoigne de la place centrale que ce texte occupait dans l'esprit de Gary.

Les emprunts au *Vin des morts* sont fréquents au début de l'œuvre garyenne puis à nouveau dans l'aventure Ajar. Si le style et le ton d'*Éducation euro-*

1. Louis-Ferdinand Céline, *Mort à crédit*, Gallimard, « Folio », p. 281.
2. *Le Vin des morts*, p. 55.
3. Philippe Brenot, *Le Manuscrit perdu Gary/Ajar*, L'Esprit du Temps, 2005.

péenne semblent résolument plus « classiques » et policés que ceux du *Vin des morts*, un long passage à la fin du roman est littéralement emprunté au *Vin*.

Éducation européenne

En 1942, dans le maquis polonais qui lutte contre les nazis, Janek, le jeune héros du roman, découvre les vicissitudes de l'existence, la vie et la mort, le froid et la faim, l'engagement et la trahison, la culture et la liberté, et l'amour de Zosia. Ce très beau roman, l'un des plus forts de Gary, recevra le prix des Critiques à sa parution en 1945.

Au chapitre XXXI, le camarade Dobranski commence la lecture de son manuscrit intitulé *Les Environs de Stalingrad* et on pénètre alors insensiblement, sans le savoir, dans le monde étrange du *Vin des morts*, peuplé de cadavres qui répondent aux ordres du général Baron sous l'œil vigilant de deux corbeaux centenaires, habituels messagers de la mort.

Après quelques lignes, Gary reprend *in extenso* la scène de l'« Oberlieutenant Bonzo » du *Vin des morts* avec une translation lumineuse, la guerre de 14 devient celle de 40, le nom de chaque protagoniste étant seulement substitué au précédent : Hohenlinden devient Ribbentrop, Bonzo devient Karl, le Kaiser devient le Führer, von Ludendorff devient Goering, von Moltke devient Goebbels, et la France devient la Russie !

Ce passage est quasiment identique, parfois mot à mot, au texte du *Vin des morts* dans lequel les Allemands s'épanchent, éplorés, sur les conséquences de la guerre (« Cette guerre, quel malentendu ! »), l'explication des pleurs étant évidemment différente dans les deux versions : « *Ach, Bonzo ! me dit alors le Kronprinz. Tu as un grand ascendant sur mon père le Kaiser, viens lui parler, sauve la France, Bonzo*[1] *!* », réplique qui, dans la Seconde Guerre, devient avec un trait d'humour : « *Ach !* me dit alors le baron, entre deux sanglots, *ach !* Karl, corbeau allemand. Tu as une grande influence sur notre Führer... Va ! explique-lui. Sauve l'Allemagne... Je veux dire sauve la Russie[2] ! »

La scène se termine en débandade, « *Berlin en sang !* » dans *Le Vin*, « Berlin est bombardé » dans *Éducation*, l'état-major prenant ses jambes à son cou en sautant courageusement par la fenêtre !

Gary commença l'écriture d'*Éducation européenne* en octobre 1940 à bord du navire qui emmenait les troupes alliées en Afrique. En avril 1941, il est sous-lieutenant à la 1re escadrille de bombardement basée à Bangui sous le nom de Romain Gary de Kacew. En octobre 1942, il est en Somalie et poursuit l'écriture d'*Éducation européenne* sur des cahiers d'écolier, lisant des passages le soir à ses camarades de combat[3]. En septembre 1943, Gary est navigateur dans le groupe Lorraine à Hartfordbridge, en Angleterre. Pierre-Louis Dreyfus, son camarade de chambre, en témoigne : « Tous les soirs, il s'installait à cette petite table et il écrivait *Éducation européenne*[4]... » Pendant toutes ces années de guerre, comme le précisera Gary dans *Vie et mort*, il traînera les pages du *Vin des morts* « à travers guerres, vents, marées et continents »,

1. *Le Vin des morts*, p. 69.
2. *Éducation européenne*, Gallimard, « Biblos », p. 181.
3. M. Anissimov, *op. cit.*, p. 168.
4. *Ibid.*, p. 172.

d'Afrique en Angleterre, car les emprunts d'un texte sur l'autre sont si précis qu'ils ne peuvent pas l'avoir été seulement de mémoire. *Éducation européenne* parut d'abord en anglais chez Cresset Press à Londres en décembre 1944 sous le titre *Forest of Anger* et, six mois plus tard, en juin 1945, chez Calmann-Lévy pour l'édition française.

À part quelques réminiscences de style ou quelques phrases directement empruntées au *Vin* dans *Tulipe* (« *tandis que miaule le chat, piaule le rat et court l'araignée...* »), on ne trouve plus, par la suite, de stigmates de ce premier roman dans l'œuvre garyenne. Les résurgences directes de Kacew dans Gary disparaissent donc après *Tulipe* pour réapparaître de façon emblématique chez Ajar.

Gros-Câlin

C'est en 1974, après une parenthèse de vingt-huit ans, que l'on décèle ouvertement du Kacew dans l'œuvre de Romain Gary avec *Gros-Câlin*, dont la trame, extraordinaire, est directement empruntée au *Vin des morts*. *Gros-Câlin* marqua profondément les esprits par l'étrangeté du contexte dans lequel il apparut — absence de l'auteur et auteur inconnu — mais également par son style et l'étonnante étrangeté de l'histoire elle-même, qualifiée de « fable humoristique » « abracadabrante et drôle », par les critiques de l'époque.

Ayant ramené son serpent python d'un voyage organisé en Afrique, Michel Cousin se trouve confronté à la difficulté de vivre en appartement à Paris avec son reptile et à l'attachement qu'il lui porte, tout autant qu'à Blondine, la souris achetée pour nourrir ce Gros-Câlin qui ne mange que des proies vivantes. Enfin, Mademoiselle Dreyfuss, dont Cousin est secrètement amoureux, ne supporte pas la proximité du python, ce qui complique particulièrement la vie du héros.

L'intrigue de *Gros-Câlin* est directement inspirée de l'histoire de « Monsieur Joseph » du *Vin des morts.* Monsieur Joseph avait en effet « *la vilaine manie de jouer de la flûte, du soir au matin* ». Cette métaphore de la masturbation, étonnamment riche d'associations, va permettre au jeune Romain d'ouvrir les portes de son imaginaire : le joueur de flûte devient naturellement charmeur de serpent avec toutes les images qui s'attachent à l'animalité de cette excroissance phallique. Sur le plan psychologique, le sentiment de toute-puissance que procure cet allongement de soi chez le jeune auteur nourrit un fantasme de dédoublement et d'autoengendrement qui se manifestera, chez Gary, par la prise de nombreux pseudonymes et qui apparaît ici pour la première fois sous la plume de Romain.

Monsieur Joseph donne ainsi naissance à Joséphine :

« ... *un soir, on se mettait justement au lit, ma femme et moi et monsieur Joseph, à côté, soufflait dans sa flûte comme un enragé... Et puis, tout à coup, il s'arrête et on l'entend qui crie :*

— Au secours ! À moi !

Et puis encore :

— Couche ! couche ! Joséphine ! Veux-tu coucher ! comme s'il y avait un cleps dans son lit[1]. »

1. *Le Vin des morts,* p. 110.

Tulipe et sa femme se précipitent alors, frappant à la porte de Monsieur Joseph qui, tel un Michel Cousin évoquant Gros-Câlin, parle de sa gigantesque extrémité dont il faut prendre soin :

« *Entrez ! qu'il nous gémit. Mais faites bien attention à Joséphine… ne la touchez pas, surtout ! Elle est très excitée, elle peut vous piquer !* » « *Monsieur Joseph il était couché sur le dos, en soufflant dans sa flûte, et Joséphine, elle avait bien un mètre cinquante, à ce moment-là ! Elle s'était dressée, comme un serpent, et elle remuait, elle secouait bizarrement sa gueule, comme fascinée*[1]… » On assiste en quelques lignes à la naissance de Gros-Câlin sous la plume du jeune Romain : « *Joséphine s'allongeait de jour en jour, comme enchantée. On lui donnait à boire dans une cruche, tous les matins et à midi, elle gobait une bonne douzaine de moineaux : lorsqu'elle était de bonne humeur, elle venait manger à la main.* » L'autoengendrement a réussi, le dédoublement est total. Joséphine est devenue Gros-Câlin. On lui donne des moineaux, il gobera des souris. Les idées s'enchaînent par associations, faisant progressivement changer le lecteur de niveau de conscience et créant l'illusion d'une continuité. C'est le principe même de la confusion mentale, l'un des procédés de l'hypnose. L'illusionniste Gary, déjà en germe chez Kacew, nous en fait une brillante démonstration.

Tous les éléments resteront là, en attente, pendant près de trente ans, dans le manuscrit du *Vin des morts*, jusqu'à ce que Romain, en détresse dans sa peau de Gary, ne décide de les réveiller en devenant Ajar.

Dans son roman *Gros-Câlin*, Gary nous fait directement pénétrer dans le second degré de l'histoire,

1. *Ibid.*

« Physiquement Gros-Câlin est très beau. Il ressemble un peu à une trompe d'éléphant[1] », la métamorphose a déjà eu lieu, le sexe de Monsieur Joseph s'est personnifié et le lecteur n'y a vu que du feu. Gary devenu Ajar peut maintenant se permettre toutes les pirouettes, nous ne remarquerons plus rien, pas même les plus flagrantes évidences qu'il nous met sous les yeux. C'est ainsi, à la lumière de notre connaissance de la trame originelle du *Vin*, que de nombreux passages de *Gros-Câlin* prennent un double sens manifeste. Cousin parle évidemment d'érection et de masturbation lorsqu'il évoque la difficulté « pour qu'une jeune femme [Mademoiselle Dreyfus] accepte de vivre ainsi à deux nez à nez avec une telle preuve d'amour[2] ». Et lorsque Cousin se plaint du garçon de bureau auprès du commissaire de police : « Il a même essayé de me flatter en disant que j'étais un acte contre nature[3] », Gary se joue du premier et du second degré, mêlant la réalité de la caresse sexuelle avec la symbolique de la masturbation, acte contre nature s'il en est. Il va même encore plus loin, lorsque Gros-Câlin se dresse dans la corbeille à papiers devant la femme de ménage portugaise qui s'évanouit et porte plainte à la police en criant : « Monsieur sadista, monsieur exhibitionnista[4]. » Ce qu'il confirme dans la phrase suivante : « Lorsque je dis aux policiers que tout ce que je lui avais montré c'était mon python », en nous promenant encore avec désinvolture.

Certain de son pouvoir d'illusion, et bien assuré qu'il ne serait pas découvert, Gary poursuit sa mise

1. *Gros-Câlin*, Gallimard, « Folio », p. 54.
2. *Ibid.*, p. 16.
3. *Ibid.*, p. 42.
4. *Ibid.*, p. 36.

en scène. Cousin explique au commissaire comment son forfait s'est produit, lorsqu'il précise « que celui-ci s'était dressé avec inattendu, sans préméditation de ma part ». La confirmation de ce sens caché nous est donnée quelques lignes plus loin lorsque, furieux, il dit au commissaire : « Bon, si vous ne me croyez pas, je vais vous montrer ça ici même », et que ce dernier l'informe « qu'un geste comme ça peut me mener très loin [...] outrage aux mœurs dans l'exercice de leur fonction[1] ».

À la lueur de cette clé du roman, tout *Gros-Câlin* prend un sens différent : « Gros-Câlin avait rampé hors de l'appartement, car je savais qu'il était un grand amateur d'orifices[2]... », il est ainsi logique que le pénis-python ait un tropisme tout particulier pour « la moumonette de Madame Champjoie du Gestard », qui pousse un affreux hurlement avant de s'évanouir. Gary récidive, comme dans l'histoire de la femme de ménage portugaise, Monsieur Champjoie du Gestard traitant Cousin d'« ordure ! » et de « vicieux ! », en ajoutant avec le culot de l'évidence : « Comme si c'était moi qui m'étais introduit dans le tuyau pour toucher la clopinette de Madame... » Bien entendu que c'est Gary-Cousin et non le python ! Il doit à nouveau s'expliquer devant le commissaire, qui ne doute pas qu'il s'agit de son sexe en érection, puisqu'il lui dit clairement : « Allez, au revoir. Mais ne vous glissez plus dans les tuyaux à merde pour chatouiller la crapolette des honnêtes femmes [...]. Et si vous êtes dévoré par le besoin de faire dégorger votre limace, allez chez ces dames[3]. »

1. *Ibid.*, p. 37.
2. *Ibid.*, p. 152.
3. *Ibid.*, p. 159.

Cousin avouera enfin être Gros-Câlin à la page suivante, sans que cela n'émeuve le lecteur : « Je me bornai simplement à prendre un bain prolongé pour laver les dernières traces du tuyau de canalisation[1]. » Si le python était responsable du forfait, quel besoin aurait eu Cousin d'un « lavage prolongé » ?

Un troisième niveau, plus inconscient, aux yeux mêmes de Gary certainement, apparaît dans cette fable loufoque. Il emprunte aux propriétés du python qui, comme tout reptile, mue. Le thème de la métamorphose et de l'autoengendrement est ainsi contenu dans les mues successives de Gros-Câlin, que Gary confirme entre les lignes de l'histoire initiale : « La métamorphose est la plus belle chose qui me soit arrivée[2] », déclare Cousin. Et une « peau neuve » s'impose lorsqu'on est mal dans la sienne : « Beaucoup de gens se sentent mal dans leur peau, parce que ce n'est pas la leur[3]. » On sait combien Gary souffrit dans sa « vieille peau » d'écrivain *has been*, il le dira en couverture de la deuxième édition des *Têtes de Stéphanie* : « J'ai choisi un pseudonyme [...] parce que j'éprouve parfois le besoin de changer d'identité, de me séparer un peu de moi-même, l'espace d'un livre. »

La solution de l'autoengendrement se fait jour : « Je fus pris alors d'une volonté de naître absolument furieuse et irrésistible[4]... » L'angoisse, si permanente chez Gary, accompagne cette métamorphose : « Je fus pris d'une telle terreur que je crus pendant quelques instants que j'allais naître, car il est de notoriété que

1. *Ibid.*, p. 160.
2. *Ibid.*, p. 17.
3. *Ibid.*, p. 76.
4. *Ibid.*, p. 151.

parfois des naissances se produisent sous l'effet de la peur[1]. » Sous la plume de Gary et les traits de Cousin-Gros-Câlin, nous assistons à la naissance d'un nouveau Romain : Ajar.

Vers la fin du roman, la métamorphose a réussi, Gros-Câlin s'est séparé de Cousin, qui l'amène au Jardin d'Acclimatation et peut ainsi s'en détacher. N'est-ce pas le jeune Romain qui renaît en Ajar : « J'avais l'impression de ne pas être là, d'être devenu un homme[2] » ?

Cet extraordinaire roman à clé est écrit par Romain à un moment critique de son existence où il cherche désespérément un nouvel équilibre de vie dont il témoigne dans *Vie et mort* : « J'avais l'illusion parfaite d'une nouvelle création de moi-même, par moi-même[3]. »

La Vie devant soi

Si peu d'éléments du *Vin des morts* se retrouvent directement dans *La Vie devant soi*, la trame du roman n'est pas sans rappeler l'adolescence de Romain et les angoisses du jeune adolescent confronté à la santé de sa vieille mère qui se dégrade. Car Mina, comme Madame Rosa, habitait le sixième sans ascenseur et souffrait d'une maladie chronique évolutive, le diabète. Gary laisse beaucoup d'indices dans ce sens : « Je ne sais pas ce que faisaient ses parents mais c'était en Pologne[4]. » « Madame Rosa [...] me parlait en polonais qui était sa

1. *Ibid.*, p. 136.
2. *Ibid.*, p. 209.
3. *Vie et mort d'Émile Ajar*, *op. cit.*, p. 30.
4. *La Vie devant soi*, *op. cit.*, p. 69.

langue la plus reculée [...] et il fallait même lui faire des piqûres à la fesse[1] », ce qui fait penser au diabète de Mina. Détails qui rappellent l'enfance de Romain dans l'angoisse de la fragilité maternelle : « Chaque matin, j'étais heureux de voir que Madame Rosa se réveillait car j'avais des terreurs nocturnes, j'avais une peur bleue de me trouver sans elle[2]. »

La fin du roman, où Madame Rosa regagne son « trou juif » pour mourir, reprend une figure récurrente de l'œuvre garyenne, celle des trous, des caves, des cachettes où, comme le dit Anny Dayan-Rosenman, « les personnages s'abritent dans l'attente de temps meilleurs, pour se rassurer, pour se retrouver, pour panser leurs blessures, souvent tout simplement pour survivre[3] ». C'est le trou que creuse Janek à la première page d'*Éducation européenne*, la cave où il découvre Moniek, c'est encore le souterrain des partisans ; ce sont les « trous juifs », fosses collectives, de *La Danse de Gengis Cohn* ; et celui de Madame Rosa dans *La Vie devant soi* ; la cave des Champs-Elysées, dans *L'Angoisse du roi Salomon*, où le héros passe quatre ans pendant la guerre ; mais aussi, et premièrement, les catacombes du *Vin des morts*, ce roman matriciel auquel l'œuvre garyenne emprunte symboles et clichés au fil des humeurs de Romain. Ces cachettes innombrables, où dans la plupart se cache un juif, évoquent en premier lieu le corps de Romain, qui abrite un juif, avec toute l'ambivalence que cela signifie pour lui, l'attachement à ses racines et « un mot qui lui colle à la peau ».

1. *Ibid.*, p. 89.
2. *Ibid.*, p. 75.
3. Anny Dayan-Rosenman, « Les "cachettes" de Romain Gary », *Confrontations psychiatriques*, n° 48, p. 41.

Le « trou juif » de Madame Rosa prend vraisemblablement sa source dans le passage « Madame Ange et la puanteur », du *Vin des morts.* Madame Ange est une ancienne prostituée, mère maquerelle qui s'occupe d'une jeune prostituée, Noémie-la-putain, tandis que Madame Marie se meurt. La puanteur, omniprésente dans la fin du *Vin,* gêne ce monde de morts-vivants qui n'ont apparemment qu'un seul pied dans la tombe. Nous sommes dans un bordel tenu par Madame Ange, et Romain, comme à son habitude, fait une pirouette pour conjurer la mort en se jouant d'analogies avec l'amour : Madame Ange, lui dit Noémie, « *j'ai justement un client qui rouspète. "J'peux pas faire l'amour, qu'il dit, avec cette puanteur !"* »

L'odeur puis la puanteur du corps sont présentes dès les premières pages de *La Vie devant soi* : « Madame Rosa qui préférait le parfum [...] Je ne l'ai jamais vue sentir mauvais jusqu'à beaucoup plus tard[1] », ce que Gary appellera « les lois de la nature » : « Vous êtes bien vivante, lui dit Momo, même que vous avez chié et pissé sous vous, il n'y a que les vivants qui font ça. » Jusqu'à la phase terminale de Madame Rosa, très proche du récit de l'agonie de Madame Marie : « Je suis redescendu, nous dit Momo, et je me suis enfermé avec Madame Rosa dans son trou juif. Mais j'ai pas pu tenir. Je lui ai versé dessus tout le parfum qui restait mais c'était pas possible [...]. Quand ils ont enfoncé la porte pour voir d'où ça venait et qu'ils m'ont vu couché à côté, ils se sont mis à gueuler au secours quelle horreur mais ils n'avaient pas pensé à gueuler avant parce que la vie n'a pas d'odeur[2]. »

1. *La Vie devant soi, op. cit.*, p. 46.
2. *Ibid.*, p. 272-273.

Pseudo

C'est enfin dans *Pseudo* que les emprunts au *Vin* sont les plus directs. Gary ne s'en cache pas, dans *Vie et mort*, lorsqu'il mentionne les deux passages « des flics-insectes froufroutant dans le bordel » et « du Christ, de l'enfant et de l'allumette[1] » que ses amis d'enfance avaient eux-mêmes reconnus. *Pseudo* est certainement la confession la plus émouvante de Gary. Sous ce double niveau du pseudonyme (il est Ajar et, en tant qu'Ajar, parle de Gary qu'il écorche vif), Romain peut lâcher la bride et « enfin s'exprimer entièrement », selon les propres mots de la lettre qui accompagna son suicide. L'attention du lecteur était alors si fortement tournée vers cet énigmatique Ajar, à l'époque le neveu de Gary, qu'on ne pouvait imaginer cette plume acerbe envers l'oncle tenue par Romain lui-même. Alors reviennent des mécanismes de l'enfance et le toujours présent *Vin des morts*, dont l'étrangeté et les impertinences ne détonnent en rien dans le délire ajarien de *Pseudo*.

Le premier emprunt est l'histoire du « jour des flics », cette extravagante scène orgiaque du *Vin* dans laquelle, un jour dans l'année, les flics ont libre accès au bordel, entrent et sortent, rampent sur les murs à l'image d'insectes qui s'infiltrent partout, jusque dans la plus secrète intimité, le corps des femmes : « *Et alors on est monté*, nous dit *Le Vin des morts*. *C'était plein de flics, dans l'escalier, ils bourdonnaient tous et chantaient des cantiques et des louanges au Seigneur, qui a créé, dans sa bonté infinie, l'homme, la femme, le flic et la putain, et rampaient partout, en attendant leur tour d'aimer*[2]. » « Il

1. *Vie et mort d'Émile Ajar*, *op. cit.*, p. 21.
2. *Le Vin des morts*, p. 137.

y en avait aussi qui rampaient sur les murs, mais on ne pouvait rien faire pour désinfecter... », complète *Pseudo*[1]. Cette « désinfection » des flics-insectes n'est pas sans rappeler le « flic-tox » du *Vin des morts*[2]. Les termes sont quasi identiques : « *Et sur le lit, il y avait un flic énorme, un flic géant, un flic gratte-ciel, à poil, et tout velu, qui hoquetait et suait et soufflait*[3]... », nous dit *Le Vin.* « Il y avait un flic énorme, gigantesque, assis sur le canapé, dans toute sa force de l'ordre... », poursuit *Pseudo.* Cette scène cocasse, burlesque, tomberait comme un cheveu sur la soupe dans n'importe quel autre texte, mais trouve sa place exacte au cœur du délire psychiatrique que Romain insère dans *Pseudo.*

Mais c'est surtout la très belle scène du Christ, de l'enfant et de l'allumette que *Pseudo* emprunte littéralement au *Vin.* Elle contient de nombreux thèmes fondamentaux de l'univers garyen : la dimension salvatrice du Christ, l'enfant (ouvertement Momo dans *Pseudo*) au bras du Christ et la magie de ce tour de prestidigitation qui habite Romain depuis l'adolescence.

Si, dans *Pseudo,* Momo se tient aux côtés du Christ, dans *Le Vin* l'enfant est le personnage principal de la scène : « *Il était pieds nus et portait une chemise trop grande pour sa taille : il avait l'air de s'y noyer [...] Un grand crucifix noir pesait sur sa poitrine : sur le crucifix, le Christ levait les yeux et regardait, lui aussi, avec intérêt, la lueur frétillante*[4]. » Si dans *Le Vin,* la lueur est celle d'une allumette que tient Tulipe, dans *Pseudo,* c'est la flamme de l'espoir : « ... ils regardaient tous deux l'espoir qui se consumait et

1. *Pseudo,* Mercure de France, 1976, p. 99.
2. *Le Vin des morts,* p. 101.
3. *Ibid.*, p. 137.
4. *Ibid.*, p. 185.

allait me [Romain-Ajar] brûler les doigts comme d'habitude[1]... »

Le dialogue est ensuite repris mot à mot[2] de : « *Crois-tu qu'elle va lui brûler les doigts ? dit l'enfant.* » (Tu ne crois pas qu'elle va lui brûler les doigts ? demanda Momo, en regardant l'allumette), au tic langagier qui termine cette séquence : « *Hé ! hé ! hé ! rit le Christ* [...] *Ça t'apprendra à vouloir parier avec moi !* » (Hi, hi ! hi ! rit le Christ [...] Ça t'apprendra à parier avec moi.) À trente-cinq ans de distance, Romain ne se renie en rien, il ne change que quelques virgules à son texte premier.

Si on lit maintenant *Pseudo* en faisant abstraction de la problématique Gary-Ajar et des efforts de Gary pour masquer son identité, nous sommes devant l'une des confessions les plus sincères de Romain, qui s'exprime ici par le prête-voix d'Ajar-Pavlowitch : « J'avais deux personnages qui luttaient en moi : celui que je n'étais pas et celui que je ne voulais pas être[3]. » Mais cette nécessaire métamorphose est maintenant dépassée : « J'avais oublié Ajar. Je savais que je n'en aurais plus besoin, que je n'écrirais plus jamais un autre livre, parce que je ne souffrais plus d'être moi-même[4]. » Avec cette dernière phrase de *Pseudo* : « Ceci est mon dernier livre[5] », attestant un parcours accompli sur lui-même.

1. *Pseudo, op. cit.*, p. 80.

2. Dans ce dialogue parallèle (du *Vin* et de *Pseudo*) nous reprenons la convention du texte du *Vin des morts* en italiques et du texte de *Pseudo* en romain, afin de mieux distinguer et souligner la similitude des deux récits.

3. *Pseudo, op. cit.*, p. 147.

4. *Ibid.*, p. 171.

5. *Ibid.*, p. 214.

L'ANNÉE 1974

En quelques années, autour de 1974, nous assistons à la transmutation de Gary en Ajar, reflétant le dilemme du jeune Romain qui, toute sa vie, tente d'échapper à sa peau de Gary en prenant d'autres identités. Tentative réussie avec Ajar auquel il assigne un nouveau corps, celui de son neveu, Paul Pavlowitch. 1974, c'est le retour du *Vin des morts* dans l'œuvre, qui témoigne que Gary n'est pas devenu Ajar, il est au contraire redevenu Kacew.

En 1974, Gary va avoir soixante ans. C'est l'année où il réussit, enfin, « à être lui-même », si cette expression a encore un sens avec un être si multiple, mais en définitive si dissocié. Car, tel un puzzle géant, il n'en finit pas de tenter de rassembler les morceaux de lui-même et de continuer d'en produire, certainement en lien avec la complexité de sa personnalité et la bipolarité de son humeur. On sait combien la grande créativité est souvent liée aux variations de l'humeur[1].

L'année 1974 débute en réalité fin 70, à la suite de son divorce avec Jean Seberg[2] et des grands moments de solitude, de détresse et d'angoisse qui envahissent Romain. Depuis 1960, Gary avait très régulièrement remis un livre par an à son éditeur, Gallimard. Dans un rebond de l'humeur qui a suivi cette phase

1. P. Brenot, *Le Génie et la folie en peinture, musique, littérature*, Odile Jacob, 2005.

2. Romain Gary et Jean Seberg divorcent en 1970 mais resteront très proches et liés, notamment autour de leur fils Alexandre Diego Gary.

dépressive, il va tout à coup accélérer le rythme de sa production littéraire et mettre en chantier deux, trois, parfois quatre livres dans le même temps. De mars à juillet 1973, Gary écrit *Gros-Câlin* dans sa villa de Puerto Andraitx à Majorque, tandis que *Les Têtes de Stéphanie* est traduit en français. Paraissent *Les Enchanteurs* en juin puis *The Gasp* (*Charge d'âme*) chez Putnam à Londres. En septembre, il réécrit la version française des *Têtes de Stéphanie* et termine *La nuit sera calme*, livre d'entretien fictif avec son ami d'enfance François Bondy. Tout est en place pour la grande métamorphose de l'année 1974 et du début 1975, retour du jeune Kacew et du *Vin des morts* dans l'œuvre de Gary, où Romain sera présent en librairie sous six identités différentes. Par ordre d'entrée en scène : François Bondy, Shatan Bogat, Françoise Lovat, Romain Gary, Émile Ajar, René Deville.

Le 7 mai, à l'orée de ses soixante ans (Gary est né le 8 mai), paraît *La nuit sera calme*, dans lequel Jacqueline Piatier du *Monde des livres* percevra « le besoin incessant qui anime Gary de changer de personnalité[1] ». En mai, parution, toujours chez Gallimard, des *Têtes de Stéphanie* de Shatan Bogat, traduit de l'anglais par Françoise Lovat[2], roman très particulier dont l'auteur et la traductrice ont des noms fictifs. Devant la mévente du livre, Claude Gallimard réussit à convaincre Gary de révéler la supercherie. C'est ce qu'il fit un mois plus tard en acceptant de « brûler le pseudonyme ». Le livre reparut en juillet sous le nom d'auteur de Romain Gary avec une longue confession en couverture : « J'ai choisi un

1. M. Anissimov, *op. cit.*, p. 496.

2. Traductrice fictive de ce roman écrit d'abord en anglais par Gary puis traduit par lui-même en français.

pseudonyme pour écrire *Les Têtes de Stéphanie*, parce que j'éprouve parfois le besoin de changer d'identité, de me séparer un peu de moi-même, l'espace d'un livre. » On croirait déjà entendre la voix d'Ajar mais personne ne pouvait imaginer que, simultanément, Gary corrigeait à Paris, rue du Bac, les épreuves de *Gros-Câlin*, censées lui parvenir en Amérique du Sud. *Le Vin des morts* réapparaît à mots couverts.

Si Gary a semblé, à certains, neurasthénique au printemps[1], il connaît une phase expansive d'enthousiasme et d'excitation en septembre : parution de *Gros-Câlin*, critiques dithyrambiques, proposition pour le prix Renaudot. L'angoisse est forte d'être découvert. Gary fait dire qu'Ajar refuse tout prix littéraire. En octobre, il fait une crise d'angoisse majeure qui nécessite un traitement, comme parfois lorsqu'il a été hospitalisé à la clinique du Vésinet. Il écrit cependant, en trois mois seulement, le deuxième roman d'Ajar, *La Tendresse des pierres* (*La Vie devant soi*) et termine *Au-delà de cette limite votre ticket n'est plus valable*.

L'année 1975 commence sur le même rythme endiablé. Il termine *La Tendresse* au printemps, à Lorgues chez René Agid[2], et commence *Pseudo-Pseudo*. *La Vie devant soi* d'Émile Ajar, qui sort en septembre, reçoit le prix Goncourt deux mois plus tard, tandis que *Direct Flight to Allah*, version anglaise des *Têtes de Stéphanie*, paraît chez Collins à Londres sous la signature de René Deville, ultime pseudonyme. Dans une interview pour le journal *Le Monde* en 1976, Gary, en grand mystificateur, se défend ainsi d'être Ajar : « Mais dites-moi comment j'aurais pu trouver le temps de faire le roman d'Émile Ajar alors que j'ai

1. M. Anissimov, *op. cit.*, p. 505.
2. *Ibid.*, p. 531.

traduit en anglais mon dernier-né : *Au-delà de cette limite votre ticket n'est plus valable*, terminé une pièce de théâtre, achevé un scénario[1] ? »

In fine

Le Vin des morts, ce roman de jeunesse drôle et explosif, apparaît également comme le réservoir d'une colère intérieure retenue, désinvolte, en latence. La sève garyenne coule déjà dans les veines du jeune Kacew lorsqu'il fustige « *cette ignoble petite putain toujours si crasseuse et malodorante qu'on appelle l'âme humaine*[2] ». Cette « *puanteur* » qu'il dénonce « *témoigne d'un accord entre les hommes dans lequel Dieu lui-même est intervenu*[3] *!* ». Alors, prenons leçon de cette parabole du *Vin des morts* qui nous explique « comment faire avouer un mort » : « *Un bon conseil : si, dehors, vous craignez d'être reconnu, si vous désirez éviter les coups traîtres qui vous réduiraient en poussière, eh bien ! croyez-moi : du naturel ! de la sincérité ! Comportez-vous comme si vous étiez toujours dans votre tombe et pas un vivant ne s'apercevra de la supercherie*[4] *!* »

PHILIPPE BRENOT

1. *Ibid.*, p. 561-562.
2. *Le Vin des morts*, p. 231.
3. *Ibid.*, p. 192, 231.
4. *Ibid.*, p. 153.

NOTE SUR LE TEXTE

Le manuscrit du *Vin des morts* est un texte de 331 pages de la main de Romain Gary, sans ruptures ni mention de chapitres. Cette édition respecte au plus près un manuscrit qui compte peu de ratures : seules quelques corrections orthographiques ont été faites.

Dans ce texte composite, on peut très nettement identifier une succession d'histoires courtes, parfois enchâssées les unes aux autres, qui constituent la trame du roman. Elles sont au nombre de 37[1], mais

1. 1 — Les joueurs de cartes ; 2 — Le valet de pied du ministre ; 3 — Le flic gigantesque ; 4 — Les deux bourgeois ; 5 — Le grand maigre et le petit courtaud ; 6 — L'Oberleutnant Bonzo ; 7 — La pute et sa fille ; 8 — L'homme qui s'était trompé de femme ; 9 — Trois sœurs prostituées ; 10 — Le chantage au gaz ; 11 — La photo ratée ; 12 — Le Soldat inconnu ; 13 — Monsieur Joseph ; 14 — Le vol du Saint-Graal ; 15 — Le pédophile acquitté ; 16 — Les flics au bordel ; 17 — Les sœurs tenancières ; 18 — Les bateliers de la Volga ; 19 — Les moines qui branlent le bon Dieu ; 20 — La queue dans le radiateur ; 21 — Blanche colombine ; 22 — Comment faire avouer un mort ; 23 — L'enrhumé sans nez ; 24 — L'inauguration de la pissotière ; 25 — Le copain de tranchée ; 26 — Madame Ange et la puanteur ; 27 — La pute et le croque-mort ; 28 — L'enfant, le Christ et l'allumette ; 29 — Propos d'ivrogne ; 30 — Oncle

ne forment pas autant de chapitres, dans la mesure où le fil conducteur du récit est constitué par le long parcours souterrain de Tulipe. Des scansions s'imposent ainsi au fil de son périple, comme des temps de respiration du texte, afin d'en rendre la lecture plus agréable. C'est pourquoi nous proposons, pour cette édition, un découpage en 22 chapitres dont les intitulés sont en général extraits du texte.

Les références aux romans de Romain Gary citées dans la préface et les notes du *Vin des morts* correspondent à leur édition en Folio, à l'exception d'*Éducation européenne* et de *La Promesse de l'aube*, faisant appel à leur pagination dans la collection « Biblos », et pour *Pseudo*, à l'édition originale au Mercure de France, en 1976.

P. B.

Anastase ; 31 — Accouchement macabre ; 32 — La mandoline enceinte ; 33 — Inès del Carmelito ; 34 — La femme de Dieu ; 35 — Combat de têtes ; 36 — Le vin des morts ; 37 — Chauds, les nichons, chauds !

ROMAIN KACEW

LE VIN DES MORTS

LE VIN DES MORTS

[*Tu triches !*]

Tulipe escalada la grille du cimetière et chut lourdement de l'autre côté. Il se releva aussitôt en maugréant, tituba, vint buter contre une croix et s'accrocha éperdument pour ne pas tomber.

— Tu triches ! fit soudain une voix enrouée, tout près de lui.

D'épouvante, Tulipe lâcha la croix, fit un bond prodigieux dans les ténèbres.

— Tu triches ! reprit la même voix, avec colère.

— Comment, comment ça, je triche ? pleurnicha Tulipe.

Il y eut un moment de silence. Puis la voix reprit, distincte :

— Je te dis que tu triches. Tu m'entends ?

— Non, non et non ! J'triche pas ! hurla Tulipe.

Cette fois le silence fut plus long.

— Qu'est-ce que c'était ? interrogea la première voix, avec méfiance. Tu n'as rien entendu, Joe ?

— Que veux-tu que ce soit, Jim ? répliqua une autre voix, indifférente. Un [...][1] ou quelque chose. D'ailleurs, je n'ai rien entendu !

Tulipe, horrifié, n'osait plus respirer, faire un geste. Les cheveux s'étaient hérissés sur sa tête. Ses genoux tremblaient. Ses dents claquaient.

— Bon Dieu ! reprit soudain, avec emportement, la première voix. Je te dis, Joe, que tu triches. C'est dégoûtant !

— Je suis très peiné de t'entendre jurer, Jim ! répliqua la deuxième voix, avec calme. C'était déjà tout à fait déplacé de ton vivant. Maintenant que tu es mort, c'est une véritable honte !

Tulipe faillit s'évanouir.

— Au secours ! piailla-t-il d'une voix grêle.

Il se rua, plongea en avant, perdit l'équilibre, s'accrocha furieusement à quelque chose qui dut céder aussitôt, car il s'écroula dans un bref et hystérique glapissement d'horreur. Il tomba sur la tête, mais ne sentit pas de douleur, sauta immédiatement sur ses jambes et se tint recroquevillé, la gueule béante, prêt à hurler. L'endroit était faiblement éclairé par un bout de bougie, placé sur une espèce de table. Cette table avait un aspect bizarre, inquiétant même. Sa vue surprit tellement Tulipe qu'il en oublia de hurler et la regarda stupidement, la mâchoire pendante, les yeux écarquillés. Selon toute apparence, elle avait été fabriquée avec le couvercle d'un cercueil. Mais ce qui frappa surtout Tulipe

1. Mot manquant : le manuscrit est ici endommagé.

et acheva de l'ahurir, c'était les pieds, les quatre pieds de la table. Ce n'étaient pas des pieds à proprement parler. C'étaient des tibias. Quatre tibias, enfoncés dans la terre, sur lesquels on avait simplement posé le couvercle d'un cercueil.

— Je te le disais bien, Joe, qu'il y avait quelqu'un, là-haut, je te le disais bien ! Si tu avais écouté, tu l'aurais su aussi bien que moi. Mais tu étais bien trop occupé à tricher pour écouter, Joe !

Le personnage qui venait de parler paraissait être frappé par la plus sénile et la plus décrépite des vieillesses. De longs poils blancs couvraient sa figure et permettaient tout juste d'entrevoir le bout de son nez pointu. Très petit, très maigre, il était vêtu d'un surtout démodé et d'un pantalon collant. Le surtout et ce pantalon avaient la même teinte verdâtre, imprécise, et leur possesseur ne bougeait qu'avec une prudence extrême, comme s'il craignait de les endommager, ce qui donnait à tous ses gestes une lenteur et une solennité quelque peu drolatiques. Tulipe contemplait l'étrange vieillard avec une obstination ahurie. Celui-ci en fut sans doute incommodé, car il s'écria d'une voix rauque :

— Qu'avez-vous à me regarder comme ça, mon garçon ? Est-ce pour la première fois de votre vie qu'il vous est donné de voir un gentleman ?

Tulipe ne parut pas l'avoir compris, le regarda un instant encore et éclata finalement d'un rire strident…

— Hohoho ! se tordait-il. Hohoho !

Le rire secouait tout son maigre corps et le faisait danser sur place, irrésistiblement.

— Hohoho !

Cette gaieté intempestive porta au comble la colère du petit vieillard.

— Je veux être pendu, Joe, s'exclama-t-il avec véhémence, en prenant toutefois bien soin d'éviter les gestes trop brusques, afin de ne pas endommager ses habits, je veux être pendu, Joe, si ce misérable ne sent pas le vin à plein nez et s'il n'est pas en train de se payer ma tête. Ma tête à moi, Joe, ma tête à moi ! Je désire être pendu, si ce n'est pas de moi qu'il rit !

— Personne n'a jamais été pendu deux fois, Jim, personne n'a jamais été pendu deux fois…

Le personnage qui fit cette remarque pleine de sinistres sous-entendus, était le sosie parfait du premier petit vieillard. Il était, lui aussi, d'une taille minuscule et d'une maigreur extrême et portait le même surtout démodé et le même pantalon collant que son compagnon. Les mêmes poils blancs et fins envahissaient sa figure et tremblotaient bizarrement à chaque mot qu'il prononçait.

— Au lieu de faire des remarques déplacées, tu devrais plutôt me dire, Joe, que vient faire ici ce garçon et pourquoi il a couvert de terre et de boue notre belle table et nos belles cartes à jouer. Voilà, Joe, ce que tu devrais faire ! Mais depuis que notre pauvre mère t'a mis au monde, tu as toujours fait autre chose que ce qu'on aurait aimé te voir faire, Joe !

— Que veux-tu, Jim, je ne suis qu'un pauvre bougre… Mais pour ce qui est de ce garçon, on pourrait peut-être s'adresser directement à lui ?

Les deux petits vieillards tournèrent leurs têtes identiques dans la direction de Tulipe et le dévisagèrent sévèrement.

— Beuh ? hoqueta celui-ci, avec embarras. Beuh ! C'est à dire… J'voulais passer la nuit ici !

— L'as-tu entendu, Joe ? Dis-moi, Joe, l'as-tu entendu ?

— Oui, Jim, oui. Je l'ai entendu.

— Et comment trouves-tu ça, Joe ? Parce que, franchement ! c'est la chose la plus drôle que j'ai entendue depuis que je suis mort !

— Je n'ai jamais rien entendu de plus drôle, Jim.

— Allons-nous lui permettre de passer la nuit avec nous, Joe ?

— Je me le demande, Jim, je me le demande…

— Eh bien, franchement ! Joe, je crois que nous n'en ferons rien. Je crois, Joe, que nous allons au contraire inviter ce garçon à déguerpir au plus vite. Je crois même, Joe, que nous allons l'y aider. Dis-moi, es-tu de cet avis ?

— Entièrement, Jim, entièrement !

Les deux petits vieillards firent un pas en avant. Tulipe n'osa pas bouger. Ils firent un pas encore… Tulipe demeurait toujours immobile. Et alors, brusquement, saisissant à deux mains leurs têtes respectives, ils les soulevèrent, les ôtèrent avec adresse de leurs épaules et les tendirent d'un seul geste dans la direction de Tulipe, les lui plaçant juste sous le nez :

— Hou ! hou ! hou ! firent en chœur par trois fois et d'une voix rauque les têtes entre leurs mains en fermant chacune son œil gauche, en ouvrant largement son œil droit, en tirant chacune une langue noire et raide, et en frémissant intensément de tous leurs poils. Hou ! hou ! hou !

— À moi ! hulula Tulipe.

Il fit une pirouette, fonça droit devant lui et se trouva dans une sorte de couloir humide, noir et qui sentait le pipi de chat. Les deux petits vieillards disparurent de ses yeux.

— Je suis très heureux de notre petit effet, Joe ! entendit-il encore. As-tu vu comme il a eu peur ? Je ne crois vraiment pas, Joe, qu'il revienne nous ennuyer de sitôt !

— Moi non plus, Jim, je ne le crois pas. Il paraissait complètement chaviré. Allons-nous continuer à jouer ?

— Ma foi, Jim, je n'y vois pas d'inconvénient !

Une seconde, les deux voix se turent.

— Bon Dieu ! Voilà que tu recommences à tricher, Joe ! entendit encore Tulipe. C'est écœurant !

— Je ne triche pas, Jim. Tu te trompes sûrement !

— Fais-moi voir ta manche, Joe. Je parie que tu y caches un as !

— Erreur, Jim, mon ami, erreur ! Tu vois bien que c'est un roi !

— J'ai grand'envie de te botter le derrière Joe. Oui, vraiment, j'en ai grand'envie !

— C'est un désir terriblement vulgaire, Jim… permets-moi de te le confier !

— Pourtant, Joe, je ne sais vraiment pas ce qui m'empêche de le faire !

— Hum… Je pourrais peut-être te le dire ? Le fait est, Jim, que tu n'oses pas lever le pied. Tu as bien trop peur d'endommager ton beau pantalon !

Les deux voix s'éloignèrent, s'étouffèrent… le silence régna.

[*Un flic gigantesque*]

— Eh bien, bégaya craintivement Tulipe, titubant dans les ténèbres déchaînées comme un navire aveugle dans la tempête. il m'arrive une drôle d'histoire… Ma femme, voudra pas croire… elle dira encore que j'ai bu ! Si j'pensais un peu à tout ça… j'ferais dans mon pantalon… c'est pas l'envie, nom de Dieu, qui me manque ! Mais faut jamais penser… jamais réfléchir… Ça vous fait un mal formidable…, ça vous tue rapidement… comme un rien… beuh !

Il rota dans le creux de la main.

— Ma femme avait autrefois loué une chambre à un type… un type avec de très jolis favoris… C'était l'ancien valet de pied d'un grand ministre… Il nous racontait… que ce ministre, il engraissait terriblement… honteusement… puissamment… comme un porc ! Il osait plus se montrer aux gens… On se foutait de lui… On le sifflait… On hurlait : « Hou ! Au voleur ! Au profiteur ! Sortez-le ! À poil ! Au Concours agricole ! C'est de notre sang qu'il est si gras ! » À la fin, ils ont fait venir un toubib… Le toubib l'ausculte… le tâte… le palpe… le hume… lui sent la bouche… lui écoute aux oreilles… lui met le doigt au cul ! Puis il dit : « Je vois, je vois ! Pas grave ! Évident ! Enfantin ! Élémentaire ! Un quart d'heure de bonne petite réflexion tous les matins… à jeun ! Pas plus ! Jamais dépasser un quart d'heure ! Sous aucun prétexte ! En aucun cas ! Sinon… conséquences imprévisibles… paralysie nasale… suites désastreuses… Immédiates ! Fatales ! » Bon… Le lendemain matin, le ministre sonne le valet… Celui-ci monte l'escalier… entre… avec ses favoris ! « Mon déjeuner Rodolphe… » « Votre Excellence n'y songe pas ? Faut qu'elle s'mette à réfléchir d'abord… un bon petit quart d'heure… elle bouffera après ! » Bon… Rodolphe sort… Il descend l'escalier… avec ses favoris… Tout à coup, un hurlement ! Épouvantable ! Rauque ! « Merde ! » Il rentre… avec ses favoris, et qu'est-ce qu'il voit ? Le ministre… par terre… beuglant… pissant les sangs… affreux ! « Rodolphe ! Je me meurs ! Je suis renversé ! Mis en minorité ! Foutu ! Le traitement… trop tard ! » Et il rend son dernier portefeuille… la bouche ouverte ! Sa femme a traîné le toubib devant les tribunaux… et elle a obtenu des dommages intérêts… Faute lourde… grave… professionnelle ! Les experts étaient tous d'accord… un quart d'heure à jeun, c'était trop ! Fallait commencer par dix secondes… augmenter la dose… doucement… peu à peu… sans jamais dépasser deux minutes ! Mais un quart d'heure... un assassinat !

Il déboucha soudain dans un étroit cul-de-sac que le couloir obscur formait en cet endroit, devant une porte. À côté de cette porte, un flic gigantesque était assis sur une pierre tombale. C'était une sorte de monstre, ventru et velu, aussi large que long, armé d'un cierge qui versait sa lumière jaunâtre dans le noir ; il fumait une courte pipe juste sous un « interdit de fumer » tracé à la craie, sur une paroi de la fosse. Coiffé d'un antique képi décoloré, il avait pour tout vêtement une pèlerine minuscule, sérieusement entamée par les vers : elle enveloppait bien ses omoplates, mais laissait à découvert le reste de son corps, verdâtre et bosselé. Il portait aussi une paire de bottes lourdes et crevassées, aux semelles baillantes : les doigts des pieds poussaient ainsi librement à l'extérieur, étonnamment longs et presqu'entièrement envahis par la mousse.

— Beuh ! hoqueta peureusement Tulipe.

Le flic ne lui prêta nulle attention, se gratta la nuque avec une ardeur bestiale et en retira quelque chose de frémissant et indigné, qu'il tint un instant entre l'index et le pouce.

— Je l'ai eu ! gronda-t-il avec satisfaction, en exhalant un nuage d'âcre fumée.

— Malédiction sur ta tête ! siffla la proie.

— Et de mille neuf cent quatre-vingt et onze ! tonna le flic, en l'écrasant sous sa botte, d'un seul coup.

— Beuh ! hoqueta Tulipe, avec horreur.

Le flic ne le regarda même pas et continua à se gratter de plus belle, d'une main.

— Et de mille neuf centre quatre-vingt et douze ! tonna-t-il, en vomissant un nouveau nuage noir dans les yeux de Tulipe.

Il retira la main de son sein et examina avec le plus vif intérêt la proie qui se démenait rageusement entre ses doigts.

— J'tai eu, hein ? triompha-t-il.

— Crétin ! siffla la proie.

— Salaud ! hurla le flic, en l'écrasant sous sa botte, d'un seul coup.

— Beuh ! hoqueta Tulipe.

Il fouilla dans une poche, en sortit un mégot et se dressant sur la pointe des pieds dans la direction du cierge, il murmura timidement, histoire d'entrer en relations :

— T'as du feu, vieux ?

— Et de mille neuf cent quatre-vingt-treize ! brailla le flic, en retirant une nouvelle proie de son nombril et en levant le pied…

— Je romps, mais ne plie pas ! siffla noblement le ver.

— Tiens, alors ! hurla le flic, en l'écrasant.

— Jésus ! siffla le ver, en rendant l'âme.

— Beuh ! hoqueta Tulipe. Du feu ! Du feu, vieux !

— Par exemple ! s'étonna le flic. Qu'est-ce que c'est que ça ?

Il tendit le bras, saisit Tulipe par la peau du cou, le leva en l'air, le renifla, le porta à ses yeux grouillant de vers…

— Maman ! pleurnicha Tulipe, en se démenant entre ses doigts.

— Une sale gueule ! constata le flic en le laissant tomber.

Et il leva le pied, pour l'écraser, mais ne l'abaissa pas et demeura ainsi, le pied levé, se grattant le dos…

— Et de mille neuf cent quatre-vingt-quinze ! gronda-t-il en retirant sa main…

— Mort aux vaches ! siffla la proie.

Elle parut vouloir ajouter encore quelque chose, mais le flic l'en empêcha, en l'écrasant, d'un seul coup.

— Du… du feu ? bégaya encore Tulipe. Du… du… du… feu ?

Le flic lui jeta un regard méprisant, vomit un nuage immonde, dit :

— Il est interdit de fumer, ici !

Et ajouta rapidement, en tapant du pied :

— Et de mille neuf cent quatre-vingt-seize !

— Mon nom est légion ! affirma la proie en expirant.

Tulipe glissa le mégot dans sa poche et saisissant son courage à deux mains, il entreprit d'escalader la jambe du flic qui lui barrait le passage, en s'accrochant aux poils pour ne pas se rompre le cou. Il se retrouva, sain et sauf, de l'autre côté, essuya la sueur froide qui perlait sur son front, poussa la porte rouillée et reçut un puissant jet de salive dans l'œil droit.

— Qu'est-ce à dire ? s'étonna-t-il.

Deux gentils petits flics en bourgeois étaient

assis bras dessus bras dessous sur un cercueil, tenant chacun un cierge allumé dans leur main libre. Leur mise était plutôt négligée et même franchement débraillée, car ils avaient déboutonné leurs gilets et desserré leurs ceintures, sans doute pour être plus à l'aise. Leurs visages bouffis exprimaient la plus parfaite béatitude et la plus sereine joie qui aient jamais fleuri le visage d'un mort. Ils riaient grassement, en chœur, d'une voix un peu grinçante, il est vrai, mais encore fort belle et leurs chapeaux melons partageaient entièrement cette allégresse et dansaient plaisamment sur leurs crânes.

— Oui, qu'est-ce à dire ? répéta Tulipe en s'essuyant soigneusement les yeux.

— Ben, expliqua l'un des deux bourgeois, tu vois, vieux, on est en train de… aïe !

Il se pencha précipitamment et se gratta le pied.

— L'as-tu ? s'enquit le deuxième bourgeois.

— Je l'ai ! affirma le premier. Et un beau encore !

Il approcha la main de la flamme jaune du cierge…

— Mon fils ! sifflèrent des voix qui semblaient jaillir de son ventre. Mon fils ! Mon frère ! Pitié ! Mon amant !

— Courage, ô amis ! leur siffla noblement le ver. Je suis foutu, certes… Mais sachez que j'lui pisse dans la main !

Il dit et grilla dans la flamme, avec un grésillement sec, comme un suprême défi.

— Et un beau encore ! répéta le premier bourgeois. C'était sans doute un des chefs !

— Bah ! fit son compagnon. Les miens sont plus longs et plus gras. Regarde !

Il saisit quelque chose sous son menton, l'éleva au-dessus de la flamme…

— Liberté, liberté chérie ! siffla la proie, dans un dernier soubresaut tragique.

Et elle grilla aussitôt dans la flamme jaune.

— Pas mal ! convint le premier bourgeois. Mais les miens sont plus incisifs, plus pénétrants. De plus, leurs effectifs sont admirablement disposés, notamment dans mon foie et dans mon cœur…

Et il s'enquit aussitôt :

— L'as-tu ?

— Je l'ai ! Je n'en rate pas un cette nuit ! Je me sens particulièrement en forme !

Il remua ses doigts au-dessus du cierge et demanda, avec douceur :

— Tu jouis ?

— Je jouis ! siffla haineusement le ver, en se démenant dans la flamme. Oh là là ! Et comment ! Mais ça fait rien. On vous aura !

— Bon, continuait tranquillement le premier bourgeois, en s'adressant de nouveau à Tulipe. Il s'agit donc, vieux, de couvrir entièrement de glaires les trois mots : « liberté, égalité, fraternité » que tu vois écrits sur cette porte. Celui qui y arrive le premier gagne. C'est bien innocent, n'est-ce pas ?

— Voir ! fit évasivement Tulipe. Ma femme

avait autrefois loué une chambre à un type à qui ça avait joué un très vilain tour, cette manie de cracher toujours et partout et de bien viser quelque chose en crachant… Faut vous dire que c'était pas un cracheur ordinaire, comme vous et moi, sachant envoyer son jus à un ou deux mètres devant soi… comme ça…

Il se recueillit, visa et envoya une bonne décharge dans l'œil du premier bourgeois…

— E-lé-men-taire ! fit celui-ci, méprisant. Regarde plutôt ça…

Il cracha en l'air, le rattrapa sur la langue, le recracha, son compagnon le saisit au vol, le recracha, ils jonglèrent ainsi une fois, deux, envoyèrent ça à Tulipe qui l'attrapa, le recracha et le premier bourgeois le rattrapa, l'avala…

— C'est comme ça qu'on est, nous autres, flics ! se pavana-t-il.

— Pas mal ! reconnut Tulipe. Mais mon type, il était encore plus fort ! Il se mettait, par exemple, quelques grains de plomb dans la bouche et il vous abattait avec ça son pigeon au vol, comme un rien… C'était d'ailleurs pas un cracheur ordinaire, mais le président du Cercle des Cracheurs Français, reconnu d'utilité publique, et procureur général, par-dessus le marché ! Eh bien, une fois à l'audience, ça l'a pris brusquement au moment où l'avocat, la gueule bien large plaidait non coupable… « J'ai pas pu me retenir ! qu'il répétait plus tard à ma femme au coin du feu. J'me suis levé ! J'ai fermé un œil ! J'ai bien visé ! Et je lui ai envoyé un bon mollard entre les dents ! Après j'ai été comme possédé ! Je crachais partout ! Sur tout ! Sans répit ! Sans trêve ! Sur l'accusé ! Sur le jury ! Sur les assesseurs ! Sur la partie civile ! Un vrai déluge ! Des cataractes ! Des torrents ! Je me vois encore, debout sur mon siège, collant une glaire magnifique sur le crâne du président de la Cour… il était chauve ! Un beau jet… unique ! Ils m'ont foutu six mois de prison… carrière brisée… vie ratée… désastre ! » Vous permettez ?

Il contourna poliment les deux flics.

— C'est bien triste, son histoire ! fit derrière lui une voix. Mais… pftt ! Je crois, Toto, que je l'ai ratée !

— Oui, Julot, oui. Tu l'as ratée. À moi, maintenant… Pftt !

La porte s'ouvrit en grinçant et un nuage de fumée entra posément dans le couloir.

— Et de mille neuf cent quatre-vingt-dix-huit ! gronda le flic, en essayant en vain d'introduire sa tête gigantesque dans l'entrebâillement. Et de mille neuf cent quatre-vingt-dix-neuf… Ça suffit, pour cette nuit. Après, c'est ma pauvre sainte femme de femme qui doit tout nettoyer… Et de deux mille !

— Heureux ceux qui sont morts dans une juste guerre ! siffla la proie héroïque, en rendant l'âme, sous la botte.

— Beuh ! hoqueta Tulipe.

— Pftt ! firent en chœur les deux bourgeois.

Cette fois ils avaient bien visé et le flic reçut une solide décharge de salive dans chaque œil. Il jura, vomit en représailles une série de nuages particulièrement nauséabonds et battit en retraite. Les deux bourgeois parurent satisfaits de cette performance, car ils se levèrent, s'embrassèrent sur la bouche, se glissèrent, tendrement enlacés, dans leur caisse et soufflèrent la bougie.

[*Honteux !*]

Tulipe s'éloigna, avançant à tâtons dans le noir, dans le vain espoir de découvrir une issue du souterrain et se trouva brusquement à l'entrée d'un petit réduit éclairé par un crâne à huile qui pendait à la voûte. Sur deux cercueils de basse qualité et de coupe grossière, deux squelettes étaient assis : un grand maigre et un petit courtaud. Le grand maigre parlait tout en nettoyant une casserole et le petit courtaud écoutait, essuyant avec application une assiette sale et fêlée.

— Alors, imaginez-vous, il lui a dit : « Tu n'es qu'une misérable ! Une prostituée ! Une gourgan-dine ! Une catin ! » Et il a même levé le poing pour la frapper…

— Honteux ! s'exclama avec indignation le petit squelette courtaud.

— Oui. Mais il ne l'a pas frappée. Elle est tombée à ses pieds, comme une chiffe et lui a embrassé les genoux. Sidonie et moi, dans le couloir, on a failli mourir de rire ! Puis elle a sangloté : « Ah oui ! Oh oui ! Brise-moi, amour chéri ! Mais garde-moi auprès de toi ! » « Je le ferai ! » qu'il a braillé et puis, il a ramassé un crâne et boum ! il l'a brisé. « C'est ça ! qu'elle s'est pâmée. C'est bien ça ! Brise-moi encore ! Brise-moi davantage ! Mon pauvre grand amour chéri ! » Alors il n'a plus rien brisé du tout et l'a même aidée à se relever…

— Honteux ! s'exclama le petit squelette courtaud.

— Oui.

— « Ma pauvre fifi ! qu'il a gémi. Je t'ai fait mal ! » Et elle a terriblement sangloté en murmurant, entre les larmes, d'une voix expirante : « Écrase-moi ! J'ai brisé ton pauvre cœur généreux ! » Et il a secoué la tête, vite, vite, pour lui dire que son cœur n'était pas du tout brisé et qu'il y avait encore de la générosité dedans. Et puis il a pleuré doucement, comme un chiot. Et puis, il lui a pris la main et s'est mis à la couvrir de petits bécots en gémissant, et en reniflant et en soupirant et en se mouchant…

— Hon-teux ! s'emporta le petit squelette courtaud.

— Oui.

— « Ma pauvre enfant ! qu'il lui a dit. Pardonne-moi, je suis le vrai coupable ! Je t'avais négligée, je ne m'occupais plus assez de toi ! Ma pauvre enfant ! » Et elle a hurlé, comme une louve : « Non, non, amour chéri ! Sois sans pitié ! Jette-moi par terre ! Écrase-moi sous ton pied et fous-moi aux ordures ! » Alors il est tombé à genoux devant elle et s'est mis à lui lécher les pieds en la suppliant de lui pardonner. Et le plus fort, c'est que depuis qu'ils sont là, ça fait sept fois que ça finit comme ça. La première fois, c'était avec un jeune peintre qu'on avait enterré alors, la deuxième avec un gigolo…

— C'est honteux ! déclara avec conviction le petit squelette courtaud. Honteux ! Honteux !

— La troisième fois, elle s'est enfuie avec un type de la fosse commune… Un suicidé ! Le vieux les a rattrapés à l'autre bout du cimetière : ils se démettaient les reins depuis deux semaines, dans une tombe infecte qu'ils avaient sous-louée chez un pauvre miséreux. Bien entendu, c'est le vieux qui a payé la note !

— Des morts comme ça… dit le petit squelette courtaud, en hochant la tête. Honteux !

— Et après, elle a le culot de prétendre que je la vole sur le marché ! C'est la vérité, d'ailleurs, mais est-ce qu'une catin pareille a le droit de me le reprocher ?

— Honteux ! s'indigna sincèrement le petit squelette courtaud.

— Et alors, savez-vous ce que je lui ai dit ? Je lui ai dit : « Madame est une grue, une poule, une cocotte, un gibier de fosse commune, na ! » Alors elle a parlé du jugement dernier et du préfet de police, qu'elle connaissait…

— Honteux ! remarqua simplement le petit squelette courtaud.

— Et alors savez-vous ce que je lui ai répondu ?

Le petit squelette courtaud n'en avait aucune idée.

— Je lui ai répondu : « Le préfet de police de madame, je lui pisse dessus ! Ce n'est pas parce que madame a couché aussi avec le préfet… »

— « Aussi » ! s'enthousiasma le petit squelette courtaud. Elle a dit « aussi » !

— Oui, j'ai dit : « aussi » ! « Ce n'est pas parce que madame a couché aussi avec le préfet, que madame pourra me faire peur ! Créature, cocotte, poule, gibier de fosse commune, na ! » Alors elle a dit qu'elle s'était probablement trompée et que les comptes devaient être justes. Avez-vous fini votre assiette ma chère ? Oui ? Alors, bonne nuit !

Le petit squelette courtaud se glissa prestement dans son cercueil et tira sur lui le couvercle, en bâillant. Le grand squelette maigre allait disparaître à son tour, lorsqu'il remarqua Tulipe qui le dévisageait paisiblement, les mains dans les poches.

— Oh ! roucoula-t-il en minaudant. Oh, le beau, le très beau jeune homme !

— Hé, hé ! fit Tulipe. J'aime beaucoup les fausses maigres, moi ! Ça vous a l'air de rien et ça vous pète le feu, au bon moment !

Il s'approcha de la belle, lui prit la taille…

— Honteux ! fit derrière eux une voix courroucée.

Le petit squelette courtaud avait soulevé le couvercle et mettant dehors ses fosses nasales, il regardait la scène avec une grande désapprobation dans les orbites.

— Mêlez-vous donc de ce qui vous regarde, ma chère ! glapit le grand squelette maigre en rentrant précipitamment dans son cercueil. Ce jeune homme m'avait demandé de lui indiquer le chemin !

Elle rabattit violemment le couvercle poussiéreux. Le petit squelette courtaud continua à observer Tulipe avec curiosité.

— Vous savez, affirma-t-il, ce cercueil n'est pas aussi dur que vous pourriez le croire. Et j'ai un tempérament du tonnerre de Dieu !

— Honteux ! fit une voix pincée, derrière eux.

Aussitôt, le petit squelette courtaud disparut sous son couvercle… Un rat aux allures de conspirateur, traversa furtivement le réduit…

[*Mein Gott !*]

— Je vous salue, cher Kamerad !

Tulipe poussa un hurlement, tourna comme une toupie sur lui-même et se trouva nez à nez avec un gentil petit macchabée qui venait de surgir d'un cercueil et se tenait immobile sur une jambe, levant l'autre en l'air comme une cigogne. Il portait un uniforme chamarré et tout criblé de décorations, avait un visage rondelet, poupon, pas plus grand qu'un poing, son crâne était entièrement rasé, un monocle était coincé dans son œil droit, et son œil gauche était mi-clos, comme chez une poule.

— Mein Gott ! Un homme vivant, quel plaisir ! Je suis absolument ravi, absolument… Ach ! Mein Gott !

— À bas les boches ! vociféra grossièrement Tulipe en se retournant et en lui montrant le cul.

— Que dites-vous là, que faites-vous là, mein Gott ? s'exclama d'un air outré le sympathique macchabée. Nous vous aimons tant, nous autres, so sehr, so sehr ! [[1]Tenez, la veille de la mobilisation, je me trouvais au château du baron Von Hohenlinden. Belle fête, vins excellents, bonne musique et des petits jeunes gens… Ach ! mon cher… de ces petits jeunes gens…

Son monocle lança un éclair, son œil droit se ferma tout à fait et le visage entier exprima la plus béate des extases.

— Gras, blonds, mignons tout pleins… des amourrs ! De véritables amourrs ! Mais moi, je ne vois rien, je suis triste, assis dans un coin et je pleure, et je pleure…

Quelques larmes glissèrent le long de ses joues roses.

— À bas l'ennemi héréditaire ! s'égosillait Tulipe.

— Le Kronprinz me voit, un grand ami, ce cher Kronprinz August, un vrai ami, on ne fait plus guère d'amitié comme la nôtre — le Kronprinz me voit et me dit : « Pourquoi pleures-tu, Bonzo, ach, pourquoi ? » « Ach, Gutti, Gutti, lui dis-je, c'est la guerre qui me fait pleurer… Je ne veux pas me battre contre la France, Gutti ! » « Ach, Bonzo, me dit alors le Kronprinz, ferme-la, Bonzo, tu me fends le cœur ! Moi non plus je ne veux pas me battre contre la France ! » Alors je lève la tête et ach ! Quel spectacle ! Quel souvenir ! le Kronprinz pleure ! Foui, il pleure le Kronprinz, d'avoir à combattre la France ! Des larmes comme ça…

1. Début d'un long passage emprunté dans *Éducation européenne, op. cit.*, (p. 180-182) ; cf. préface, p. 28.

Il tendit un doigt…

— De vraies larmes de prince ! Autour, musique, danse, champagne, les plus jolis petits jeunes gens de Berlin — des amourrs ! De véritables amourrs ! — mais nous ne voyons rien, nous pleurons, le Kronprinz et moi, tout à notre tristesse ! Des larmes comme ça…

Il tendit un doigt…

— Foui, des vraies larmes de prince ! Mais soudain ach ! Que vois-je ? Le baron Von Hohenlinden en chair et en os ! Beau mâle ! Puissant seigneur ! « Qu'avez-vous à pleurer comme ça, altesse ? » « Ach, Fritz, Fritz, dit le Kronprinz, c'est la guerre qui nous fait pleurer ! Nous ne voulons pas nous battre contre la France ! Nous voulons les aimer, les Français ! De tout notre cœur ! Tout notre saoul ! » « Ach, altesse, ach, altesse ! dit le baron. Pauvre, pauvre France ! » Et le voilà qui pleure ! Des larmes comme ça…

Il tendit un doigt…

— Foui, de vraies larmes de prince !

— Sus au boche, sus ! hennissait Tulipe. La paix à Berlin, hurrah !

— Mais soudain… ach ! que vois-je ? La femme et la fille du baron qui s'approchent ! « Pourquoi pleurez-vous comme ça, ach, pourquoi ? » « Ach, Püppchen, ach, Grätchen ! dit le baron. Nous ne voulons pas nous battre contre la France ! Nous l'aimons, la France ! Ach, ach ! » « Ach ! ach ! » fit Püppchen et « Ach ! ach ! » fit Grätchen et les voilà qui se mettent à pleurer, elles aussi ! Braves femmes ! Nobles cœurs ! Et alors, tous les petits jeunes gens, tous les invités s'approchent et se groupent autour de nous. « Ach, pourquoi pleurez-vous comme ça, ach, pourquoi ? » « Ach, parce que nous devons nous battre contre la France que nous aimons, ach ! de tout notre cœur ! » « Ach ! firent-ils, et ach ! Quel malheur ! Pauvre, pauvre France ! » Ach ! Quel spectacle ! Quel souvenir ! Le Kronprinz pleure, je pleure, le baron pleure, Püppchen pleure et Grätchen pleure, les invités pleurent et les valets pleurent, et l'orchestre pleure, tout pleure, tout ruisselle ! « Ach, Bonzo ! me dit alors le Kronprinz. Tu as un grand ascendant sur mon père le Kaiser, viens lui parler, sauve la France, Bonzo ! » Ach, quel cœur… quel cœur, ce brave Gutti !

Son visage grimaça un instant et ne fut plus qu'un attendrissement sans bornes…

— Tuons, exterminons l'ennemi héréditaire ! s'époumonait Tulipe. Arrachons-lui le cœur ! Bouffons-lui le foie !

— Nous voilà filant vers le château ! continua sans se troubler le sympathique macchabée. Nous arrivons — la garde présente armes — nous montons l'escalier, on nous introduit et… ach ! Mein Gott ! Quel spectacle ! Quel souvenir ! — le Kaiser — hoch ! hoch ! — le Kaiser est là et il pleure et Von Ludendorff est là et il pleure et Von Katzen-Jammer est là et il pleure et Von Moltke est là et il pleure — tout l'état-major est là — et il pleure ! Des larmes comme ça…

— Oui, des vraies larmes de prince !
— Sus au boche, sus ! hennissait Eulipe. La paix à Berlin, hurrah !
— Mais soudain... ach ! que vois-je ? La femme et la fille du baron qui s'approchent !
„— Pourquoi pleurez-vous comme ça, ach, pourquoi ?
„— Ach, Püppchen, ach, Grätchen ! dit le baron. Nous ne voulons pas nous battre contre la France ! Nous l'aimons, la France ! Ach, ach !
„— Ach ! ach ! fit Püppchen et ach ! ach ! fit Grätchen et les voilà qui se mettent à pleurer, elles aussi ! Braves femmes ! Nobles cœurs ! Et alors, tous les petits jeunes gens, tous les invités s'approchent et se groupent autour de nous.
„— Ach, pourquoi pleurez-vous comme ça, ach, pourquoi ?
„— Ach, parce que nous devons nous battre contre la France que nous aimons, ach ! de tout notre cœur !

Il tendit un doigt…

— De vraies, oui, de vraies larmes de prince ! « Ach, Bonzo, lieber Bonzo ! me dit alors sa Majesté. Nous pleurons, Bonzo — comment ne pas pleurer ? Cela fend notre cœur impérial — Hoch ! Hoch ! Dreimal hoch ! — cela fend notre cœur impérial d'avoir à combattre la France. Pauvre France, Bonzo… ach ! Pauvre France ! » « Ach ! » fis-je et « ach ! » fit le Kronprinz, et « ach ! » firent Von Moltke et Von Katzen-Jammer ! Et nous passâmes la nuit entière à parler du beau pays de France et à pleurer, à pleurer — des larmes comme ça…

Il tendit un doigt…

— Foui ! De vraies larmes de prince !

— Tuons, tuons, tuons la race ennemie ! piaillait Tulipe en exécutant vaillamment autour du cercueil la danse du scalpe [*sic*].

— Mais ach… soupira le sympathique macchabée. Quatre ans après… Quel spectacle, mein Gott ! Quel souvenir ! Berlin en sang ! La foule gronde ! La révolution délire ! Tout tremble, tout chancelle, tout meurt ! Le palais est assiégé, le Kaiser est en danger et l'état-major aussi… Tout tremble, tout chancelle, tout meurt ! Mais qui protège l'Empereur ? Oui, qui protège l'état-major ? Moi ! Moi ! Moi ! Bonzo Von Blitz-Ableiter ! Au garde-à-vous ! Le sabre dans une main ! Le pistolet dans l'autre ! Et soudain… ach ! Que vois-je ? La porte du cabinet de sa Majesté s'ouvre largement et — mein Gott ! Quel spectacle ! Quel souvenir ! — Sa

Majesté sort ! et derrière sa Majesté, Von Ludendorff; Von Katzen-Jammer sort ! et derrière Von Katzen-Jammer, Von Moltke sort ! « Brave Bonzo ! me crient-ils en chœur. Sauve-nous ! Sauve l'Empereur ! » Et que fais-je, moi, moi, der Oberleutnant Bonzo Von Blitz-Ableiter ? Je mets genou à terre et — le sabre dans une main ! le pistolet dans l'autre ! — je crie d'une voix pleine de larmes : « Majesté ! Für meinen Kaiser und Hohenzollern, Kämpfen und sterben ! Combattre et mourir ! Dreimal hoch ! » Je dis ça et bang ! je saute par la fenêtre ! Et alors bang ! Sa Majesté saute par la fenêtre et derrière sa Majesté, bang ! Von Ludendorff, bang ! Von Moltke et Von Katzen-Jammer sautent par la fenêtre ! Bang ! Tout l'état-major saute par la fenêtre ! J'avais sauvé l'Empereur ! J'avais sauvé l'état-major ! « Dreimal hoch ! für den Oberleutnant Bonzo Von Blitz-Ableiter ! »

— Sus, sus à l'ennemi implacable ! se démenait Tulipe.

— Mais soudain… ach ! Que vois-je ? continuait le sympathique macchabée sans lui prêter attention. Nous sommes dans la cour du palais, des obus éclatent, des avions vrombissent ! Tout tremble, tout chancelle, tout meurt ! Et alors, que fais-je, moi, moi, Bonzo Von Blitz-Ableiter ? Je mets genou à terre et — le sabre dans une main ! le pistolet dans l'autre ! — je m'écrie d'une voix pleine de larmes : « Que sa Majesté s'élance ! Que sa Majesté se précipite ! Je la protégerai, je protégerai sa retraite ! Jusqu'au dernier souffle ! Jusqu'à la dernière goutte de sang ! Für meinen Kaiser und hohenzollern, kämpfen und sterben ! Combattre et mourir ! Hoch ! » Je dis ça et tac ! tac ! tac ! Je me mets à courir ! « Brave Bonzo ! Noble ami ! » hurle sa Majesté et tac ! tac ! tac ! Elle se met à courir ! « Brave Bonzo ! Dieu le bénisse ! » hurle Von Ludendorff et tac ! tac ! tac ! il se met à courir ! « Brave Bonzo ! Fier chevalier ! » hurlent Von Moltke et Von Katzen-Jammer et tac ! tac ! tac ! ils se mettent à courir[1] !] J'avais sauvé l'Empereur ! J'avais sauvé l'état-major ! « Dreimal hoch ! für den Oberleutnant Bonzo Von Blitz-Ableiter ! »

Il baissa sa jambe droite et se raidit au garde-à-vous. Ses talons claquèrent. Une épaisse poussière s'échappa de tout son corps.

— Mort aux boches ! clama encore Tulipe.

Il lui tourna ensuite le dos et s'engouffra en ricanant dans les ténèbres épaisses…

1. Fin de l'emprunt pour *Éducation européenne, op. cit.* (p. 182).

[*La fillette*]

— Tu viens ?

Du coup, il s'arrêta. C'était une voix de femme, infiniment lasse… Elle s'élevait tout près de lui.

— Non !… murmura-t-il, en reculant.

— Tu viens ? reprit la voix, avec insistance.

— N'as-tu pas entendu, maman, ce qu'il a dit ? murmura du même endroit une voix enfantine. Parce que, moi, j'ai entendu. Il a dit : non !

— Tu viens ? s'obstina la voix.

Le ton n'avait pas changé. On sentait la femme prête à répéter encore sa question…

— Mais puisqu'il t'a dit que non, maman ! dit la voix d'enfant avec impatience. Il a dit non. Il n'a pas envie. Serais-tu devenue sourde ?

Une lueur jaillit, à un tournant du souterrain. Une femme apparut, une chandelle à la main. Elle pouvait bien avoir vingt ans, ou trente, ou peut-être cinquante : pas plus de soixante, en tout cas. Un visage livide, sans expression. Entre deux mèches de cheveux d'un blond fade, des yeux fixes, comme stupéfaits : la lueur pâle de la bougie y mettait un éclat de verre. Elle portait un peignoir crasseux — il avait la même teinte jaunâtre et fade que ses cheveux. Sans doute l'avait-elle choisi pour ça. Le peignoir était entrouvert et Tulipe put admirer à l'aise une combinaison fripée, sur des seins plats et affaissés, comme deux sacoches vides et des genoux maigres, cagneux et blancs. D'un bras, elle pressait contre elle une fillette qui lui ressemblait étrangement : c'était entre deux mèches d'un même blond fade, le même visage ahuri et sans expression du poulet depuis longtemps égorgé mais qui trouve moyen de souffrir encore, les mêmes yeux stupéfaits. Elle portait le même peignoir crasseux et la même combinaison fripée que sa mère et si elle n'avait pas encore de seins, ses genoux par contre étaient déjà très maigres, cagneux et blancs. La fillette joignait ses bras minces comme des allumettes autour du cou de la femme et elles se tenaient ainsi, devant Tulipe, l'enfant et la mère, sauvagement serrées l'une contre l'autre, dans cette farouche attitude de bêtes pourchassées.

— Tu viens ? répéta la femme.

Dans sa main, la chandelle tremblait…

— Non ! bégaya Tulipe.

— Dis-lui : tu viens, chéri ? murmura hâtivement la fillette, à l'oreille de la femme. Il faut toujours leur dire : chéri. Ça fait bien.

— Tu viens, chéri ? répéta la femme.

Leurs voix se ressemblaient également. Seul, le mouvement des lèvres permettait de distinguer celle qui avait parlé…

— Non, non ! refusait Tulipe.

— Dis-lui que tu as des coussins moelleux ! murmura fiévreusement la fillette. Dis-lui que tu seras bien cochonne…

— J'ai des coussins moelleux. Je serai bien cochonne.

— Non… non ! hoqueta Tulipe.

Il vint buter contre la paroi glacée du souterrain, s'arrêta. Dans la main de la femme, la bougie tremblait de plus en plus… elle jetait partout des ombres errantes.

— Vite, vite, montre-lui quelque chose ! hurla la fillette. Vite ! Il va s'en aller !

— Regarde ! dit la femme en retroussant ses jupes.

— Beuh ! hoqueta Tulipe.

— Montre-lui les fesses, écarte-les bien ! hurla la fillette.

— Voici ! dit la femme, en tournant lentement sur elle-même, les jupes toujours retroussées.

— Fais-lui un beau sourire ! cria la fillette.

— Voilà ! dit la femme en se retournant et en faisant une horrible grimace.

— Au s'cours ! hulula Tulipe.

Il s'élança, passa en hurlant à côté du couple immonde, courut encore…

— Attendez, Monsieur, attendez !… lui lança la fillette en essayant de l'agripper au passage. Peut-être me préférez-vous ? Peut-être préférez-vous venir avec moi ? Peut-être… Monsieur ! Monsieur ! Trop tard il est parti… Tiens… idiote !

Tulipe perçut le bruit d'une gifle et un cri aussitôt réprimé.

— I-diote ! Fumier ! s'égosillait la fillette. Il est parti ! Tu n'as pas su le retenir ! Tu ne plais plus à personne, pas même aux morts ! Un rat ne voudrait pas de toi ! Il est parti... Qu'allons-nous manger, demain ?

— Si j'avais su que tout cela allait continuer encore de ce côté, fit la voix de la femme, traînante, j'aurais continué à vivre. J'aurais pas ouvert le gaz !

— Il est parti, parti ! se lamentait la fillette. I-diote !

Les deux voix se turent. Tulipe courut, marcha, courut encore, puis s'arrêta, essoufflé. Une sueur froide coulait sur son visage. Il l'essuyait sans cesse d'une main tremblante. Il tenta de crâner :

— J'aurais jamais dit qu'elle était morte, cette putain ! Ma parole ! Encore un peu et j'la baisais sur la bouche !

Il éclata d'un rire hystérique, convulsé. Dans le noir, l'écho rebondissait de pierre en pierre, puis revenait des profondeurs, rejaillissait de l'immense gosier béant : il faisait rigoler les ténèbres...

— J'me serais joliment gouré ! piailla-t-il d'une voix de fausset, en essayant de maîtriser le tremblement éperdu de ses genoux. C'est très mauvais, ça, se gourer ! continua-t-il d'un petit air dégagé, tout en prenant une violente chair de poule, des pieds à la tête. Très dangereux !

Par-faite-ment ! Ma femme avait autrefois loué une chambre à un type à qui ça a joué un vilain tour ! J'me souviens très bien ! Il y avait, en face de sa chambre, celle d'une petite poule qui faisait le trottin ! Comme celle que j'viens d'voir ! Hi ! Hi ! Hi ! Que j'pisse…

Il se déboutonna et urina dans le noir en écoutant couler les urines et claquer ses dents.

— Mais c'était une brave fille quand même ! Et qui payait régulièrement ! L'argent n'a pas d'odeur ! C'est à dire… Il pue toujours bon ! Hi, hi… Si bien que ma femme lui disait rien, pourvu seulement qu'elle remarquait « que la petite essuie bien les pieds en rentrant ! ». Elle les essuyait bien… ma femme était contente ! À côté de sa chambre, il y avait la nôtre… à ma vieille et à moi ! Et voilà-t-il pas qu'une nuit, notre type, il décide d'aller s'amuser gentiment avec la petite… de se soulager un peu les tempéraments ! Seulement, le pauvre, il se trompe et il entre chez nous, sans hésiter ! J'dormais pas et j'l'entends qui passe à côté de mon lit, comme un loup et puis pan ! qui saute dans le plumard de ma vieille ! houi ! En disant toutes sortes de petits trucs gentils ! J'comprenais bien qu'il s'était gouré, mais j'disais rien… histoire d'me marrer ! J'reste donc coi dans mon lit et j'l'écoute roter d'amour et péter d'ardeur. Il mugit : « Oh ! Oho ! Ché-rie ! » et ma femme mugit aussi : « Oh ! Oho ! Ché-ri ! » « C'est ça l'amour que j'me dis, c'est ça ! Écoute bien, Toto ! Prends-en de la graine, vieux cornichon ! » Faut vous dire aussi que ma vieille, malgré ses soixante printemps bien frappés, ça vous pète l'tonnerre, parole ! lorsque ça s'y met ! Et les voilà donc qui s'mettent à bouger. Ils bougent, ils bougent et moi j'les écoute et j'me bidonne en pensant à la gueule qu'il fera, mon bonhomme, lorsqu'il verra qu'il s'était gouré. Et puis ils s'mettent à n'plus bouger du tout, mais plus du tout, alors ! et j'l'entends qui bêle : « Oh, ma Mimi ! » Et ma femme, elle lui répond tranquillement : « J'm'appelle pas Mimi ! J'm'appelle Fernande ! » Alors le type, il pousse un hurlement et il saute hors du lit en claquant des dents : « Qu'est-ce que j'ai baisé ? qu'il bêle. Qu'est-ce que j'ai baisé ? » « Ça ! » que j'lui fais, en allumant. Et lui, tout à poil et bandant mou, il m'reluque en train d'me marrer comme une vache et puis ma vieille, qui s'marrait aussi, la chatte au vent et il devient gris et il devient vert et il s'arrache les cheveux et il hurle à mort et nous pique une telle crise de nerfs qu'il a fallu que j'lui verse de l'eau d'ssus, pour le calmer... On a beaucoup rigolé, ma femme et moi, de cette aventure et on l'a racontée aux voisins, qui ont bien rigolé aussi. Finalement, le type, il a dû filer d'chez nous, tellement que c'était devenu dur, pour lui d'se montrer au quartier... Voui... Ma parole... C'est très mauvais quelquefois, se gourer... Très dangereux ! Brr...

[*Chantage au gaz*]

Il serra les mâchoires, pour ne plus entendre ses dents. Mais toute sa tête se mit alors à trembler. Enfin, il se calma et pissa encore un bon coup. Ça le soulagea tout à fait et il tendait déjà les bras pour avancer à tâtons dans l'ombre opaque, mais en ce moment [[1]un rat piaula, un chat miaula, une chauve-souris vola] et trois hideux squelettes débouchèrent dans le souterrain et s'accroupirent en craquant autour d'une pierre tombale toute couverte de mousse. Le plus petit mangeait un fromage de Hollande, le plus grand brandissait un cierge pleureur, le troisième parlait.

— Oui, grinçait-il avec importance. La dernière fois qu'ils m'avaient permis de faire un tour dehors, c'était il y a... il y a bien deux ans ! Un peu moins, peut-être... Le temps passe si vite, dans une tombe ! En tout cas, à l'époque, j'avais encore assez de viande sur les os pour pouvoir

1. Expression reprise dans *Tulipe*, *op. cit.*, p. 49.

me montrer aux vivants… Il est vrai que les vers me travaillaient déjà… surtout à l'intérieur… les intestins… le foie… le cœur… Tout ça, je le sentais grouiller… remuer… ramper… s'attaquer aux moelles… c'est curieux combien ça aime les moelles, les vers… c'est pour eux le meilleur morceau ! Mais ça n'se voyait pas encore… Dans l'métro, c'est tout juste si j'embaumais un peu… un soupçon, quoi ! Comme vous le pensez bien, j'me suis tout de suite précipitée chez mes gosses… Carmen… Noëmie… Julot… j'les ai visités tour à tour… Ça leur fera tellement plaisir, que j'pensais, ils l'aimaient tellement leur chère vieille maman ! J'ai commencé par ma petite Carmen. Ils habitaient toujours la même maison, on les avait pas encore balancés dehors, mais j'crois que ça allait plus tarder, vu qu'en entrant, j'ai rencontré le proprio. C'est un petit mou, avec des favoris. Il était en train d'engueuler la concierge, parce qu'elle le volait sur le charbon. Les Latigelle ? que j'leur demande, pour savoir s'ils étaient encore là. « Qu'est-ce que vous leur voulez, aux Latigelle ? » que m'dit la concierge. « Ça vous regarde ? » que j'lui demande, parce qu'elle m'avait parlé sur un ton ! Comme si j'étais une voleuse, ou quoi ! « Ça vous regarde ? Peut-être que j'suis leur mère ? » « Leur mère ? dit le proprio. Vous venez peut-être me payer leur loyer, hein, Chère Madame ? Ça fait un an qu'ils me payent plus ! » « Chère Madame vous-même, que j'lui ai dit. Qu'est-ce que vous attendez alors, mon gros, pour les foutre dehors ? » « Pardon ? » qu'il dit. « Ça alors ! » dit la concierge. Et puis, ils s'mettent à me regarder. « Qu'est-ce que vous avez, que j'leur demande, à m'reluquer comme ça ? » « Qu'est-ce qu'on a ? dit le proprio. Rien. On croyait seulement que vous étiez leur mère ! » « Ben oui, que j'dis, j'suis leur mère ! Et puis après ? » « Et puis après, rien ! qu'il m'dit. Et puis après, j'm'en fous ! Seulement, puisque vous y allez, dites-leur bien que si un d'leurs sales gosses m'fait encore pipi ou caca sur l'escalier, j'lui tords le cou ! » « Oui, oui, parfaitement ! » dit la concierge, le nez en l'air, en me regardant. « Qu'est-ce qui vous prend encore à m'reluquer comme ça ? que j'lui demande. Chameau ! C'est-y moi, hein, qui ai fait pipi et caca sur l'escalier ? » « Chameau vous-même ! qu'elle m'répond. Pour sûr que c'est pas vous ! Vous, vous m'avez plutôt l'air d'en bouffer que d'en faire ! » « Putain ! » que j'lui dis. « Virginité ! » qu'elle m'répond. « Saloperie ! » que j'lui dis. « Roulure ! » qu'elle m'répond…

— Oh, doux seigneur Jésus ! Sœur Agonyse ! s'exclama le plus grand des trois squelettes en brandissant son cierge et en se voilant pudiquement la face. Quels mots affreux ! Vous allez nous faire rougir ! N'est-ce pas, sœur Pédonque ?

Le fromage de Hollande ouvrit la gueule, chercha un instant, mais ne trouva rien à dire et continua à mâcher avec bruit.

— J'dirai c'qu'il plaira de dire, sœur Polypie ! grinça sévèrement le troisième squelette. Je lui ai donc hurlé : « Saloperie ! » Et elle m'a répondu :

« Roulure ! » Et on allait continuer comme ça, un tout petit peu, mais le proprio, il a pas voulu. « Ça va ! qu'il a dit. C'est pas l'moment d'causer. Tenez, allez plutôt leur dire que j'leur donne encore quinze jours pour déguerpir. Et que j'veux même pas d'leur argent : j'veux qu'ils foutent le camp ! J'aime pas les gosses ! Moi ! » Et puis il a craché par terre et s'en est allé…

— Un salaud, ce propriétaire, un salaud ! brailla le plus grand des trois squelettes, d'une voix lugubre qui fit courir un frisson sur le dos de Tulipe et éveilla dans la tombe un sinistre écho. Un salaud ! N'est-ce pas sœur Pédonque ? Rien ne vaut un petit enfant !

— C'est vrai ! reconnut le fromage de Hollande, avec concupiscence. Surtout lorsqu'il n'est pas trop cuit et qu'on le sert avec du raifort et de la purée de marrons ! Mmm…

Elle émit un rot appétissant, soupira et se consacra entièrement à son fromage.

— Oui, continua le troisième squelette, il a craché par terre et s'en est allé ! « Ordure ! » que j'ai dit alors à la concierge en crachant, moi aussi. « Vérole ! » qu'elle m'a répondu, en crachant également. Alors, j'ai craché encore, pour avoir le dernier mot et j'monte l'escalier et j'tape à la porte… « Qu'est-ce que c'est ? » qu'on m'demande de l'intérieur et tout de suite, j'ai reconnu la voix de ma petite Carmen. Et puis j'entends encore la voix de Lucien, qui dit : « C'est le propriétaire, mon amie ! Je vais ouvrir le gaz ! » « Attends, dit Carmen, il nous laissera peut-être un dernier délai ! » « Non, qu'il a dit, non ! Je vais ouvrir le gaz, mon amie ! » Et alors, Carmen tire le verrou et m'aperçoit ! « Maman ! qu'elle a crié en pâlissant, c'est maman ! » Et moi, j'lui tapote la joue et j'vois la tête de Lucien, dans l'entrebâillement d'une porte. Il m'a bien regardée et puis : « Nom de Dieu ! qu'il a hurlé. Le gaz, mon amie, je vais ouvrir le gaz ! » Et en ce moment il y a un morveux qui lui passe entre les jambes, qui s'approche de Carmen et lui tire les jupes. « Qu'est-ce qu'il y a, mon chéri ? » que lui demande Carmen. « Il y a, dit le morveux en rigolant, il y a que Jojo a encore bouffé… »

Au mot « bouffé » le fromage de Hollande craqua bruyamment de tous ses os.

— Bouffé quoi ? s'enquit-il, rapidement.

— Oui ! oui ! brailla le plus grand des trois squelettes en se levant d'un bond et en exécutant une pirouette. Bouffé qui ? Dites-le-nous vite, vite, sœur Agonyse !

— Ne m'interrompez donc pas tout le temps ! glapit ce troisième squelette avec importance. « Il y a, dit le morveux en rigolant, il y a que Jojo a encore bouffé un bouton de sa culotte ! »

— Mmm ! fit le fromage de Hollande, avec délice.

— « Mais il va mourir ! dit Carmen en pâlissant, il va mourir, cet enfant ! Vas-y, Lucien ! Ne reste pas ainsi ! Fais quelque chose ! » Et Lucien, il la regarde, blanc comme linge et puis : « Tout ce que je puis faire, mon amie, qu'il a dit, c'est d'ouvrir le gaz ! » « Toi, dit le morveux en rigolant, toi, tu nous fais drôlement chier, avec ton gaz ! » « Tu entends, mon amie, dit alors Lucien. Tu entends ce qu'il dit, cet enfant ? » « Il a raison ! que j'dis. Le gosse n'en crèvera pas ! Et s'il en crève, ça fera toujours une bouche de moins à nourrir ! » « Maman ! » dit Carmen, en pâlissant. « Tu entends, mon amie ? fait alors Lucien, tu entends ce qu'elle dit, ta maman ? Je vais ouvrir le gaz ! » Mais il n'a pas bougé. « J'sais pas ce qui vous prend, tous les deux, que leur dit le morveux en me regardant, les mains dans les poches. Moi, elle me plaît, cette gonzesse. C'est la grand-mère ? » qu'il demande à Carmen, en lui tirant les jupes. « C'est la grand-mère ! » qu'elle lui répond. « Eh bien, dit le morveux, j'voudrais avoir une poule comme ça ! C'est sérieux, ça doit bien travailler ! » « Carmen ! que j'dis, tout émue, il ressemble à ton pauvre père que c'en est étonnant ! Tiens, mon petit bonhomme ! Tu boiras un coup à ma santé ! » Et j'lui refile vingt sous. Le morveux les prend, les regarde, les tâte, les palpe, les soupèse, les renifle, les mord, crache avec satisfaction et s'en va, en passant entre les jambes de son père. « Tu as entendu, mon amie ? dit alors Lucien, tu as entendu ce qu'il a dit cet enfant ? » « Elle a entendu ! que j'lui réponds. Vous nous enquiquinez ici. Allez donc plutôt ouvrir le gaz ! » « Je le ferai ! qu'il a sifflé. Je vous en donne ma parole d'honneur ! Vous voyez, il me reste encore quelque chose à donner ! Hi ! Hi ! Hi ! » Et il se mit à rire, en roulant les yeux, et en claquant des dents. « Il est fou ? » que j'demande à Carmen. « Tu sais bien que non, maman ! qu'elle m'répond. Tu sais bien que ça fait bientôt cinq ans qu'il cherche du travail ! » « Maman ! dit en ce moment le morveux, en passant entre les jambes de son père, maman, c'est rigolo ! J'ai donné les allumettes à Jojo et il les a bouffées ! »

— Mmm ! ronronna voluptueusement le fromage de Hollande.

— « Je vais ouvrir le gaz ! » dit Lucien sans bouger. « Mon Dieu ! dit Carmen en pâlissant. Pourquoi lui as-tu donné les allumettes Nénesse ? Tu sais bien, pourtant, qu'une boîte coûte quarante centimes et qu'il n'y a pas d'argent à la maison ! » « L'argent ne fait pas le bonheur, dit le morveux, sentencieusement. Et puis, j'savais pas qu'il allait les bouffer. J'croyais qu'il allait allumer seulement un incendie ! » Et il s'en va, en passant entre les jambes de son père. « Tu as entendu, mon amie, dit alors Lucien, tu as entendu ce qu'il a dit, son enfant ? » « C'est toi qui me l'a fait ! » dit Carmen en pleurant. « Oui, que j'lui dis. Vous savez faire que ce bien-là ! » « Je vais ouvrir le gaz, qu'il a dit, en faisant grincer ses dents. C'est peut-être ma faute que notre fille fait un gosse chaque fois qu'on la touche ? » « Vous avez pas besoin de la toucher ! que j'dis. Vous aviez pas besoin d'l'épouser ! » « Ha ! ha ! ha ! qu'il a ricané. Tu entends, mon amie ? Voilà ta chère maman qui recommence sa chanson ! » « C'est pas une chanson, que j'dis. C'est la vérité !

Vous aviez besoin d'me la voler, ma petite Carmen ? Alors que j'voulais tant la garder ! » « Oui, qu'il a hurlé, oui ! Pour en faire une putain ! Je vais ouvrir le gaz ! » « Pendez-vous, plutôt que j'lui ai dit. Ça coûtera moins cher ! » « C'est vous qui payerez l'enterrement, qu'il a ricané, je vous en préviens, chère, chère, belle-maman ! » « Voir ! que j'ai dit. Les chômeurs, on les enterre pas. On les fout aux ordures ! » Il a failli s'étrangler avec sa salive. « Tu entends, mon amie, qu'il a piaillé, tu entends ce qu'elle dit, ta maman ! » « Ne vous engueulez donc pas comme ça ! dit en ce moment le morveux en passant entre les jambes de son père. Il y a Jojo qui a encore bouffé une chaussette ! »

— Mmm... mmm ! ronronna doucement le fromage de Hollande.

— « Une chaussette ? dit Carmen en pâlissant. Mais il n'avait pas de chaussettes Nénesse ? » « J'sais bien, dit le morveux, en rigolant. Seulement, c'est pas la sienne. C'est celle de son papa ! C'est moi qui la lui ai donnée ! » « Tu entends, mon amie ? dit alors Lucien. Tu entends ce qu'il dit, cet enfant ? Il a fait déguster à Jojo ma dernière paire de chaussettes ! Je vais être obligé de me promener pieds nus à présent ! Tu as entendu, mon amie, ce qu'il a dit ? » « Honni soit qui mal y pense ! » dit le morveux. « D'où qu'il sait tous ces beaux proverbes ? » que j'demande à Carmen en refilant vingt sous au morveux, de main en main. « Il est enfant de chœur ! dit Carmen, et monsieur le curé s'occupe un peu de lui ! » Et le morveux s'en va en passant entre les jambes de son père. « J'ai vu le proprio, tout à l'heure, que j'leur dis. Il rouspète. Il y a un de vos gosses qui lui a fait pipi et caca, sur l'escalier. Lequel était-ce ? » « Ça doit être Pétrus, dit Carmen, à moins que ce soit Bébert. Ça peut être aussi celui que Lucien m'a fait la semaine dernière... » « C'est pas un gosse ! dit Lucien, avec triomphe. C'est moi ! Pour embêter le propriétaire ! » « Vous l'embêtez déjà bien assez, que j'lui dis, en le payant pas ! » « Avec quoi voulez-vous que j'le paye ? qu'il m'a hurlé. Tout ce dont je suis capable, c'est de lui faire un gosse ! Hi ! hi ! hi ! » « Elle est bien bonne, que j'dis, tranquillement. Alors, vous trouvez toujours pas d'boulot ? » « Toujours ! qu'il dit. Mais cela ne durera plus guère ! » « Tiens ! que j'dis. Vous avez quelque chose en vue ? » « Oui, qu'il dit, oui. Le gaz. Je vais ouvrir le gaz ! » « Bon, que j'dis, ça le reprend. Eh bien, moi, j'm'en vais vous dire quelque chose... » « Tu vas nous proposer de l'argent, maman ? » dit Carmen en pâlissant. « Nenni, que j'dis, nenni. Rassure-toi ! Mais j'vais vous donner un conseil ! » « Étranglez-vous avec ! hurle Lucien. Nous n'en avons pas besoin ! » « Maman ! dit en ce moment le morveux, en passant entre les jambes de son père, il y a encore Jojo qui a bouffé une épingle à cheveux ! »

— Très bon ! Excellent ! remarqua simplement le fromage de Hollande.

— « Mon Dieu ! dit Carmen, en pâlissant.

Comment c'est arrivé Nénesse ? » « Ben, dit le morveux, en me regardant, c'est moi qui la lui ai donnée ! » « Pour t'amuser, n'est-ce pas ? » dit Lucien, en ricanant. « Non, mon gros, dit le morveux. C'est pour que la vieille noix m'aboule encore du pognon ! » « Tiens ! » que j'ai dit, tout attendrie, en lui refilant cent sous, d'main en main. « Tiens ! mon petit bonhomme ! » « Merci, vieille chose ! dit le morveux, et maintenant bordel de Dieu ! J'm'en va lui faire bouffer toute une bottine ! » Et il s'en va, en passant entre les jambes de son père ! « Hé ! hé ! hé ! fait celui-ci. Je vais ouvrir le gaz ! » « Qui est-ce qui lui a appris à jurer comme ça ? » que j'demande à Carmen, avec admiration. « Je t'avais pourtant déjà expliqué, maman, que le petit est enfant de chœur et que monsieur le curé s'occupe un peu de lui ! » Et en ce moment, on entend des hurlements, dehors et puis l'escalier fait crac ! crac ! et patate-patatra-boum ! « Qu'est-ce qu'il y a ? que j'demande, il y a le feu à la maison ? » « Ce sont eux ! » dit Carmen en pâlissant. « Les gosses ? » que j'demande. « Les gosses ! » qu'elle m'répond. Et elle ouvre la porte et il y a toute une meute de marmots qui roule dans la pièce, cul par-dessus tête ! « Vous, que j'dis, en regardant ce saligaud de Lucien, vous devriez vous mettre un bouchon à l'endroit que vous savez ! » Et il allait justement me dire qu'il allait ouvrir le gaz, lorsque le morveux le bouscule, lui passe entre les jambes et s'élance vers Carmen, en hurlant ! « Qu'est-ce qu'il y a mon Dieu ? » dit Carmen en pâlissant. « Hou ! hou ! hou ! fait le morveux. Il y a que Jojo a bouffé les cent sous que la vieille noix m'avait donnés… Hou ! hou ! hou ! »

— Cher, cher petit Jojo ! murmura rêveusement le fromage de Hollande.

— Et en ce moment, on entend un faible grattement à la porte. Carmen ouvre et il y a un bébé minuscule, tout rose, qui rampe sur le plancher. « C'est le dernier ? » que j'demande. « Pour le moment ! » dit Carmen en pleurant. Je le regarde ce bébé, et il me regarde aussi, en fermant un œil et en se suçant les doigts du pied. « Oui, ma vieille, oui, qu'il m'dit. C'est comme tu le vois. Ils m'ont laissé tomber les frères et sœurs. Si c'est pas malheureux… » « Alors, quoi ? que j'lui demande. Faut encore qu'on te porte, sacré petit fainéant ? » « Grosses couilles, va ! qu'il me répond. Tu n'le comprends pas, non, que je sais pas encore marcher ! » Carmen l'a ramassé et allait déjà le porter dans l'autre pièce, mais le bébé, il a pas voulu. « Non, qu'il a hurlé, j'veux pas y aller ! Il y a Jojo et il va me bouffer ! »

— Cher ! Cher petit bébé ! ronronna tendrement le fromage de Hollande.

— Si jeune, si jeune et déjà si intelligent ! brailla le plus grand des trois squelettes en levant les orbites au ciel.

— Oui, continuait le troisième, et alors Carmen l'a posé par terre et l'a laissé tranquille. « Eh bien, maman, qu'elle m'a dit ensuite, et votre conseil ? » « Je te préviens, mon amie, lui a sifflé Lucien, je te préviens que-je-ne-le-sui-vrai-pas ! J'aime mieux ouvrir le gaz ! » « Voilà, que j'dis, sans faire attention. Avant que tu ne tournes mal et n'épouses ce saligaud… » « Vous en êtes une autre ! » qu'il a hurlé. « Et avant que tu n'épouses ce saligaud, ce chômeur… » « Taisez-vous ! » qu'il a râlé. « Ce chômeur, que j'répète, sans me troubler, avant donc que tu ne tournes mal, tu étais une brave petite fille gentille et obéissante et tu étais prête à précéder dans le métier ta sœur Noémie qui t'aime tant… » « Taisez-vous ! a hurlé Lucien. Ou j'ouvre le gaz im-mé-dia-te-ment ! » « Taisez-vous toi même, que j'lui ai dit, et laisse-moi causer avec ma petite fille adorée. Je t'ai choisi un nom exprès, Carmen, que je t'ai appelée, parce que c'est joli et tout et que ça fait plaisir aux clients. Mais tu as mal tourné, ma pauvre enfant, tu as épousé ce propre-à-rien et maintenant, vous crevez tous de faim, toi, tes gosses, leurs poux et ton chômeur de mari… Alors, moi, qui suis ta mère, qui t'ai toujours voulu beaucoup de bien et qui t'ai toujours voulu voir heureuse, comme qui dirait un ange au paradis, j'vole à ton secours et j'dis : viens avec moi, je t'emmènerai chez sœur Crippe, une sainte femme qui t'aimera comme une fille et qui veillera sur toi comme sur la prunelle de son œil et la mamelle de son sein et tu travailleras chez elle en paix et vivras en bonheur, dans la maison où vit et prospère ta bienheureuse petite sœur Noémie… amen ! »

— Amen ! répéta comme un écho le plus

grand des trois squelettes. Qu'elle est donc bonne, qu'elle est donc douce, notre chère petite sœur Agonyse ! N'est-ce pas, sœur Pédonque ?

Mais le fromage de Hollande, tout occupé à travailler de la mâchoire, ne répondit rien.

— J'ai dit ça, reprit le troisième squelette, et Lucien, il est devenu vert comme des épinards ! « Tais-toi, charogne ! » qu'il a glapi. « Tais-toi toi-même ! que j'lui ai dit, et laisse-moi causer avec ma petite fille adorée ! Veux-tu venir, Carmen chérie ? Une fois là-bas, tout ira pour le mieux, j'en suis sûre : une femme ne travaille jamais aussi bien que lorsque c'est pour son homme ! » « Maman ! dit Carmen en pâlissant. J'veux pas faire ce métier-là, maman ! J'aime mieux mourir, avec mes gosses, leurs poux et mon Lucien ! » « Souvenez-vous, que j'leur ai hurlé à tous les deux, que vous verrez pas un sou de moi ! Vous mourrez de faim et leurs poux boufferont vos petits ! »

— Mmm ! opina en bavant le fromage de Hollande.

— « Je vais ouvrir le gaz ! a glapi Lucien. Je veux ouvrir le gaz ! » « Ne vous engueulez donc pas, dit en ce moment le morveux, en passant entre les jambes de son père. Il y a Jojo qui fait dire qu'il a faim ! » « Tiens, que j'lui ai dit, en tirant d'mon sac un canif et en l'ouvrant. Tiens, mon petit bonhomme ! Va ! Donne-le-lui ! » « Maman ! » dit Carmen en pâlissant. « Boldel de saclé nom de Dieu ! dit alors en bâillant le bébé sur le plancher. Boldel de saclé nom de Dieu, quelle famille ! Vous avez pas un journal ou quelque chose ? On s'emmelde ici ! » « Maman ! hurle Carmen, en voyant que je partais et que j'avais déjà un pied dehors. Ne t'en va donc pas comme ça ! Laisse-nous quelque chose, en attendant que Lucien trouve du travail ! » « Tout ce que j'peux vous laisser, c'est ça ! » que j'leur dis, en levant une jambe et en lâchant un pet. « Maman ! » dit Carmen en pâlissant. « Le gaz ! hurle Lucien, le gaz ! Je vais ouvrir le gaz ! » Et en ce moment, il y a un monsieur avec un très joli canotier sur la tête et une serviette sous le bras, qui entre. « Les Latigelle ? » qu'il demande. « Les Latigelle ! » que j'réponds. « Bon ! qu'il fait. La compagnie m'envoie pour vous couper le gaz ! » « Pardon ! fait Lucien, d'une drôle de voix. Pardon ? J'ai pas bien compris ! » « Y a rien à comprendre, mon gros ! dit le canotier. J'vous coupe le gaz et c'est tout. Si ça vous plaît pas, vous n'avez qu'à m'payer ! » « Combien que ça fait ? que j'lui demande. J'm'en va vous payer ça et avec plaisir encore ! Tenez, mon brave ! » J'lai réglé et le canotier s'en est allé en sifflotant. « Adieu, tout l'monde ! que j'leur ai dit alors. Adieu ! pauvre chère Carmen ! Adieu, Nénesse, Totor, Jojo, Bébé, Pétrus, vos frères et sœurs présents et à venir, vos ventres creux et vos poux respectifs ! Adieu ! saligaud d'chômeur ! Dieu te pardonnera : il sait plus faire que ça, l'vieux, depuis qu'il s'est fait catholique ! Seulement, faites-vite, ouvrez le gaz, n'me faites pas trop attendre, j'aime pas jeter l'argent par les fenêtres moi ! Adieu, vous tous, et amen ! »

— Amen ! fit le plus grand des trois squelettes en se signant.

— Amen ! fit pieusement le fromage de Hollande.

— Amen ! fit l'écho dans la tombe.

— Amen ! bégaya aussi Tulipe.

Un instant le silence régna.

— Mais… ma parole ! murmura soudain le plus grand des trois squelettes, en reniflant bruyamment. Je ne me trompe pas ! Ça sent l'mâle ici !

— Le mâle, ici ? s'étonna le fromage de Hollande.

— Ici ? s'étonna l'écho.

— Le mâle… commença Tulipe et réalisant enfin avec effroi que ce devait être lui, le mâle en question, il poussa un piaillement épouvanté et s'engouffra au galop dans le souterrain.

Mais il n'alla pas loin ! On courait, en effet, dans sa direction — un chœur de voix affreuses, diaboliques, virulentes, lui sauta dessus, s'installa dans ses oreilles et l'avertit charitablement qu'il ferait mieux de se garer et de débarrasser le chemin. Il s'écarta donc, s'accroupit derrière une dalle et attendit…

— Bordel de Dieu ! fit une voix d'enfant, suave. Quel noir ! Maman, j'me souviens que c'était tout à fait ça, dans ton bide ! Sauf qu'il y avait pas d'courants d'air… papa bouchait tout ! Brr… Frotte-vite une allumette, vieux cornichon !

— Tu entends, mon amie ? se lamenta aussitôt une voix d'homme. Tu entends ce qu'il dit, ton enfant ?

— Nénesse ! fit avec lassitude une voix de femme. Combien de fois t'ai-je supplié de ne plus jurer de la sorte ? Ce n'est vraiment pas le moment, ni l'endroit !

— Merde ! fit la voix d'enfant sans ambages. C'est pas ma faute si on est ici. Le vieux cornichon n'avait qu'à laisser le gaz où il était !

— Tu entends, mon amie ? se lamenta l'homme. Tu entends, n'est-ce pas, ce qu'il dit ?

Sa voix psalmodia, extrêmement pathétique :

— Je sais, je sais, mes chers petits amis ! Je reconnais que je suis un père criminel ! Mais comment pouvais-je me douter que notre martyre était sans fin ?

— Merde ! Tu nous cours, avec ton martyre ! Ce qui est sans fin, c'est ta connerie !

Des lueurs se mirent à errer, ici et là, en avant-garde et la famille effectua son entrée dans un biblique, un diluvien, un préhistorique, un apocalyptique vacarme et défila de bout en bout devant Tulipe. En tête marchait le morveux, les mains dans les poches, un mégot aux lèvres. À sa suite venait un peloton de vingt à trente rejetons d'âge et de sexe divers. Ils étaient à ce point emmêlés, emberlificotés les uns dans les autres, que cela faisait penser à une hydre, un poulpe immense, roulant, cul par-dessus tête, un brin saoul, un brin hilare, travaillant violemment de la [*sic*] tentacule. Ça bondissait, ça tanguait, ça se répandait, se ramassait, bavait, braillait, pétait, se cognait, dégueulait, se touchait, urinait, se déroulait, s'enroulait, se mettait en boule, se contractait, se mettait le doigt dans l'œil, dans le trou du cul, dans la bouche, sentait les merdes, les urines, le bouc, le lait de maman. C'était petit, court, mince, long, large, trapu, rond, carré, ovoïde, paraboloïdal, trapézoïdal, tronde conique, convexe, concave, bossu, raide, bandant, bandant pas, bandouillant, bandouillotant, flasque, très dur, pantelant, affaissé, recroquevillé, pimpant, verdâtre, rougeâtre, jaunâtre, bleuâtre, blond, brun, chauve, roux. Était couvert de morpions, de puces, de larves, de vers, de champignons, de poux blancs, de poux gris, de poux noirs, de poux chocolat. Était chancreux, granuleux, pustuleux, eczématique, urticaireux, clouté. Avait la gale, la coqueluche, le ténia, la rougeole, l'asthme, la goutte, la prostate, la chaudepisse, la phtisie, la vérole, celle de son père, celle de sa mère, celle de ses aïeux, la sienne propre, la personnelle ! la privée ! l'individuelle ! celle que ça s'était procuré tout seul, par les moyens du bord ! Elle ruisselait, toute cette belle jeunesse, elle allait devant, sous les yeux de Tulipe, bien pimpante, allègre, le jus de la terre, la semence du globe, le grain qui ne meurt ! avec son sang boueux, infecté, souillé depuis des siècles par tout ce qui s'est jamais fait de mieux comme microbe, comme pourriture, comme infection ! une sélection magnifique ! un choix formidable ! une culture unique ! rien que des perles ! au choix ! au choix ! entrée libre ! sortie gratuite ! le grain qui ne crève ! avec sa solide décharge, sa belle cargaison de chromosomes détraqués, complètement mabouls, pourris jusqu'à l'os, resquilleurs patibulaires, que bien il tient ! que jamais il ne lâche ! le grain qui lève ! qui lève partout ! aux chiottes ! au claque ! dans la boue ! dans la perte ! dans la guerre ! dans la famine ! dans le feu ! dans le sang ! dans la haine ! dans la mort ! n'importe où, n'importe comment, dans n'importe qui ! en neuf mois ! Une, deux ! Une, deux ! Gauche ! Gauche ! le tout beau ! le rude gaillard ! le serre-les-dents ! le crispe-les-fesses ! le malheureux petit enfant de putain démerdard, pieux conservateur du troupeau galeux, en éternel balade, le famélique, à travers millénaires ! Elle grouillait devant Tulipe, la meute enragée, lui crevant le tympan de ses vagissements. Derrière venait la maman, la sainte, le très doux symbole. Elle portait un gosse sous chaque bras et un troisième dans son ventre, lequel était bien gros.

— Attention ! qu'elle s'époumonait. Prenez garde ! Mes petits ! Mes chers petits ! Ne vous faites pas de mal !

— On t'emmerde, lui répondait la meute.

— Mais faites bien attention tout de même ! Je vous en prie ! Je vous en supplie ! Mes chers amours ! Mes chérubins ! C'est plein de pierres, ici !

— On le sait ! Jojo vient justement d'en bouffer une ! lui braillait la meute d'une seule voix.

Elle passa au galop et derrière elle apparut le mari. Oh, le mari ! Le Mâle ! Le Père de Famille ! Celui qui va ! Celui qui multiplie ! La moelle de l'humanité ! L'os ! Le sperme, le sperme, vous dis-je ! Le demi-dieu ! L'Essentiel ! Il était en gilet et en bras de chemise, avec un lorgnon sur le nez. Il se débattait avec rage contre un certain nombre de gosses qui allaient et venaient entre ses jambes, lui mordillaient la [*sic*] testicule au passage, lui grimpaient partout, sous le pantalon, dans les poches, lui arrachaient les poils, lui faisaient pipi dans une main, caca dans l'autre, se séparaient de ses boutons, les gobaient, les dégueulaient, les regobaient, les digéraient difficilement. Et il se débattait, les rejetait, mais ils revenaient et il les mordait, mais ils lui fourraient alors ses propres boutons dans la bouche et il les absorbait.

— Tu vois, mon amie ! qu'il gémissait. Tu vois ce qu'ils me font, tes enfants ? Crois-tu que c'est pour cela que j'avais ouvert le gaz ? Mais-je-ne-le-re-grette-pas ! Non, mon amie ! Nous avons gagné quelque chose au change : ta chère maman ne viendra plus nous relancer !

À peine eut-il proféré ces imprudentes paroles, qu'une voix fit à l'autre bout du souterrain :

— Mais je ne me trompe pas ! C'est Carmen ! Ma petite Carmen !

— Maman ! hurla la femme, désespérément.

L'homme, d'abord, ne comprit point. Il

demeura sans bouger cependant que ses enfants lui bouffaient le gilet. Puis, sans un cri, sans un mot, il fit une pirouette et fila comme un lapin et toute la marmaille se rua à sa poursuite, lui jetant des pierres, le criblant d'injures, drainant dans son flot la femme-un-gosse-sous-chaque-bras-et-un-troisième-dans-le-ventre, qui hurlait aussi, déjà, le gros chéri, ainsi que les trois squelettes hilares, hideux, et bondissants... Ils s'éloignèrent, le vacarme cessa et Tulipe sortit de sa cachette.

[*Ne bougeons plus !*]

Une humidité pénétrante s'exhalait de la terre. Il se remit en marche, frémissant de tout son corps. Toutes les fois que, dans les ténèbres, sa main tâtonnante rencontrait une paroi du souterrain, elle se couvrait de gouttes glacées. D'innombrables filets d'eau se faufilaient entre les pierres. Dans ses pieds, des cafards crevaient avec un bruit mou, écœurant. Des rats se sauvaient à son approche. L'air sentait le moisi, la terre ouverte, la pierre humide. Le bruit de ses pas éveillait derrière lui des échos angoissants : l'impression d'avoir une meute de morts lancée à ses trousses. Il courut, marcha, puis déboucha dans une vaste fosse éclairée par des bougies graisseuses…

— Bonsoir, tout l'monde ! lança-t-il, d'une voix encore étranglée.

Mais il ne lui fut pas répondu.

Au centre de la fosse, un squelette en proie à la plus vive excitation, s'affairait, un cierge à la main, une visière rabattue sur les orbites, autour d'un appareil de photo tout rouillé.

— Ne bougeons plus ! hurlait-il, d'une voix caverneuse, en craquant de tous ses os. Le petit oiseau va sortir… Ne bougeons plus !

Devant l'objectif, fiers et majestueux, se tenaient six flics de belle taille, portant chacun une redingote et un col cassé, qui les obligeait à tenir la tête haute, comme s'ils crevaient d'orgueil ou comme si leurs gilets sentaient mauvais. Leurs boutonnières s'ornaient de la très fameuse insigne [*sic*] : deux parapluies croisés, surmontés d'un chapeau melon. La partie inférieure de leurs corps, à partir des hanches, était entièrement nue, sauf les pieds, lesquels étaient chaussés de bottes volumineuses. Ils croisaient pudiquement les mains sur leurs sexes et exposaient, du côté pile, une rangée de derrières roses et dodus : sans doute les avait-on enterrés comme ça.

— Attention ! clamait le squelette, en faisant grincer affreusement ses mâchoires. Le petit oiseau va sortir… Il va sortir, le petit oiseau !

Il bondit sur l'appareil, leva le cierge et s'apprêta à presser la détente, mais en ce moment, le deuxième flic à droite éternua avec une telle puissance, qu'il s'écroula, s'éparpilla, se dissipa en poussière et lorsque cette poussière se dissipa, Tulipe, quelque peu surpris, constata qu'il ne restait du flic que ses bottes, ses moustaches, son chapeau melon et son parapluie.

— Raté ! s'exclama le squelette, en se tordant les bras. Encore raté ! Toujours raté !

— Gueule pas ! dirent les flics. Et recommence !

— Je recommencerai, c'est entendu ! soupira le squelette. Mais je vous prie, messieurs : un peu d'attention ! Vous y êtes ? Allons-y… Une… deux…

Il posa ses phalanges tremblantes sur la détente… Mais à peine l'eut-il fait, qu'un gros rat sortit son museau du nombril du quatrième flic à gauche et remua les moustaches d'un air interrogateur.

— Qu'est-ce qui se passe ? s'enquit-il.

— Raté ! s'affala le squelette. Encore raté ! Toujours raté ! Le salaud va figurer sur le cliché !

— Il manquait plus que ça ! s'effraya le flic, en tapant sur le museau de son locataire. Fous l'camp !

— Alors, quoi ? s'indigna le rat. On peut plus venir prendre l'air à la fenêtre ? Faut qu'on étouffe tout l'temps à l'intérieur ?

Il cracha, haineusement, et rentra en maugréant.

— Ne bougeons plus ! murmura le squelette en essuyant ses pleurs. Une… deux…

— Hi ! hi ! hi ! rit le rat, en mettant de nouveau son museau dehors et en disparaissant aussitôt.

— Raté ! hulula le squelette. Raté, pour la deux mille et soixante douzième fois ! Seigneur Dieu tout-puissant ! Pourquoi m'avoir condamné à ce martyre !

Il s'assit par terre et se mit à pleurer comme un veau.

— Allons, allons ! dirent les flics d'une seule

voix. Que veux-tu, vieux, à chacun sa croix ! Si tu te plains, que devrait dire l'autre, alors ?

Ils tendirent le bras… Tulipe vit alors un étrange spectacle. C'était un macchabée. Une paire de menottes joignait ses mains aux doigts bouffis. Un de ses yeux était tout rouge, l'autre tout bleu, son nez saignait abondamment et comme le reste de son visage était très pâle, cela faisait de sa figure quelque chose d'étonnamment tricolore. Effondré sur une pierre, il grelottait et pleurait en s'essuyant les yeux du bout de son suaire. Penché sur lui, se tenait un immense flic en bras de chemise, matraque en main.

— Tu avoues ? grondait-il sourdement. Tu avoues ?

— Non, non ! sanglotait le macchabée. J'avoue pas ! J'avoue rien !

— Tiens alors ! gronda le flic, en lui assénant, de sa matraque, un coup formidable sur le crâne, lequel crâne émit un son lugubre et creux. Et tiens, encore ! Et ça ! Et ça ! … C'est pas que ça me fasse plaisir, de te rosser, mais l'bon Dieu m'a placé ici exprès pour ça. Et toi, tu as tort de faire ta forte tête. Tu devrais plutôt avouer tout d'suite, comme ça j'te passerai plus à tabac, j'ferai un bon petit procès-verbal et tu serais tranquille, jusqu'au jugement dernier… Et faut pas avoir les foies : pour quelqu'un qui a vécu, l'enfer, ça paraît pas si mauvais que ça ! Alors, tu avoues ?

— Non, non et non ! se lamenta le macchabée. J'suis innocent !

Il reçut immédiatement un coup de matraque magistral sur le crâne.

— Tiens, alors ! gronda le flic. Et ça ! Et ça ! J'ai fait avouer des plus innocents que toi, va !

— Ne bougeons plus ! s'époumonait à nouveau le squelette à qui la vue de ce supplice avait dû redonner quelque énergie. Le petit oiseau va s'envoler… Attention… Une… deux…

Mais en ce moment, la tête du premier flic à gauche chut, pour une raison inconnue, de ses épaules, roula par terre, comme une boule et alla faucher d'un coup le trépied de l'appareil…

— Raté ! piailla le squelette en faisant le geste de s'arracher les cheveux. Raté toujours ! Encore un siècle de ce supplice et je serais devenu bon !

Tulipe salua, à la ronde, marcha à reculons et se retrouva dans le souterrain humide.

— C'est effrayant, c'qu'il y a d'flics par ici ! marmonna-t-il. Si j'avais su, j'aurais pris avec moi du flic-tox… un bon flacon… ma femme en tient toujours un, à la cuisine, dans le garde-manger. C'est pas qu'il y ait des punaises, chez nous… ni, encore moins, des flics… seulement, les gens qu'on loge… les chômeurs surtout… ils sont tellement habitués à avoir des punaises sur les draps… de la vermine partout… que lorsque la nuit ça sent pas le flic-tox dans leur chambre… ils osent pas s'endormir… ils peuvent pas fermer l'œil ! Ils se retournent… râlent… rouspètent… Ils savent bien qu'il y a rien à craindre… que c'est toujours propre, chez nous… seulement, toute leur chienne de vie ils ont roupillé dans ce parfum-là… alors, quand il est pas là, ils se sentent dépaysés ! ils ont peur ! ils ont mal au cœur et quelquefois même ils s'mettent à dégueuler, tout bonnement… L'habitude est une seconde nature… Rien à faire contre ça… Et ma femme est bien obligée d'leur mettre du flic-tox partout… sur l'oreiller… sur la gueule… dans les draps… ils en bouffent… en bavent… ils empestent bien fort… et roupillent alors comme des bienheureux !

Il fit quelques pas et entendit soudain des voix qui braillaient quelque part, dans le noir :

Ah ! qu'on s'emmerde ici !
Ah ! qu'on s'emmerde ici !
Ah ! qu'on s'emmerde ici, merde ici, merde ici,
merde ici, tsoin, tsoin !

— Qu'est-ce que c'est ? s'étonna-t-il.

— Ce sont ceux du paradis qui chantent ! le renseigna obligeamment un macchabée qui passait justement, un cierge à la main, une serviette sous le bras.

— Merci, monsieur ! fit Tulipe en le saluant.

— De rien, monsieur ! fit le macchabée, en répondant poliment à ce salut.

Et il s'éloigna.

[*Le Soldat inconnu*]

Tulipe fit quelques pas encore, au hasard, dans le souterrain étroit et trébucha soudain sur quelque chose de dur…

— Mais c'est plein de pierres par ici ! grogna-t-il.

— Tu crois ça, toi ? fit une voix nasillarde qui semblait jaillir du sol. Eh bien, mon vieux, pour te prouver que tu te trompes… tiens !

— Hou ! beugla Tulipe : on venait de lui marcher sur le pied furieusement.

Et il ajouta avec cœur :

— Tonnerre de sacré nom de Dieu d'enfant de putain !

— Pas mal ! observa calmement la même voix.

Tulipe recula prudemment, frotta une allumette et découvrit que ce qu'il avait pris pour une pierre, était en réalité une tête, oui une tête velue, rouquine, terriblement moustachue et coiffée d'un casque allemand, qui traînait là, parmi les débris de verre, des boîtes de conserve vides et des torchons souillés.

— Approche-toi ! ordonna la tête. J'te mordrai plus va... Penche-toi un peu... comme ça... Et maintenant, vite ! frotte-moi cette bosse qui me pousse sur le front... Aïe, aïe ! pas si fort ! Elle est grosse ? C'est toi qui me l'as faite !

— Excuse, vieux ! bégaya Tulipe. J't'assure que j'ai pas fait exprès !

— C'est égal, marmonna la tête, encore tout irritée, marcher de la sorte sur la tête du Soldat Inconnu de Fougères-sur-Brie !

Tulipe en oublia la bosse et se redressa bien étonné. Dans sa main, l'allumette s'éteignit.

— Frotte ! ordonna la tête dans le noir.

Il se pencha à nouveau, trouva à tâtons la bosse...

— Mais moi aussi je suis de Fougères-sur-Brie ! se réjouit-il. Et ma femme aussi ! Et toute la famille ! Et j'croyais dur comme fer qu'on t'avait enterré sous cet Arc de Triomphe qu'ils avaient dressé, place de la mairie !

— Le doigt dans l'œil, pays ! fit la tête. Tu peux me laisser, ça brûle plus... C'est un petit boche qui y est enterré, sous votre Arc de Triomphe !

— Non ! s'émerveilla Tulipe.

— Ça t'épate, hein ? grogna la tête avec satisfaction. J'm'en vais donc t'expliquer... Tu leur répéteras ça aux gens du village... ça les fera drôlement chier, d'l'apprendre ! Voilà : lorsqu'ils sont venus me chercher dans ma tombe, j'étais en train d'faire une belote avec un copain boche qu'on avait fourré dans le même trou que moi.

Comme par hasard, c'était justement le boche qui m'avait descendu avec sa baïonnette et que j'avais eu le temps d'enfiler, moi aussi, avant de crever… On se faisait tout l'temps des excuses, l'un et l'autre… On discutait le coup… On se regardait en tripes, d'un air contrit… On s'faisait des politesses… Comme quoi c'était un malentendu… À la fin, ça nous avait liés beaucoup, cette histoire… tout ce jus versé… on se sentait un peu parents ! Faut te dire qu'à l'époque, j'avais encore mon corps bien en place… les jambes, les bras, tout… sauf les tripes, qui traînaient un peu. On jouait donc, histoire de tuer le temps. « Belote ! » fait mon boche, en abattant ses cartes. « Ça suffit ! que j'lui dis, en jetant les miennes. Tu as une veine de cocu, Fritz. Et puis, il y a plus moyen d'jouer, avec ce putain de tonnerre de Dieu ! » C'étaient les bonshommes qui me cherchaient qui remuaient sans arrêt les pioches dans la terre. « Alors, Bobaul, qu'il me dit avec envie, on fa d'enderrer gomme ça sous un Arg de Driomphe ! Ach, ach… Sous un A… a… arg de Driomphe ! Si che l'afais su Bobaul, eh bien, barole d'honneur ! che d'aurais bas descendu ! » Et il hochait la tête, levait les yeux au ciel, jaune d'envie. « Tu sais bien que les boches, ça a toujours aimé les parades, les bannières, le panache et tout l'sacré fourbi ! » « M'est avis, Fritz, que j'lui dis, que j'vais m'y emmerder, tout seul — et copieusement ! » « Sous l'A… a…arg de Driomphe ? qu'il bêle. Ach ! ach ! » Et il se pourlèche les lèvres et bave et soupire, de plus en plus envieux. Et au-dessus de nous, les pioches, elles continuaient à faire leur besogne et à mordre la terre, comme un chien qui cherche un os. « Quel sacré bruit ! que j'dis. Tiens ! J'aime encore mieux sortir tout seul, pour qu'ils nous foutent la paix ! » « Fais bas ça, Bobaul, que me crie mon boche, tout remué. Du les ferais mourir de beur ou pien, ils se saufferaient et tu ne serais pas enderré sous un Arg de Driomphe ! Ach… À propos, Bobaul, gombien me dois-tu bour doudes ces belodes gue nous afons vaides ensemple ? » « Certainement plus que je ne pourrais jamais te payer, Fritz ! Tu as une veine de cocu, soit dit sans te vexer ! » « Hum… hum… » qu'il fait, d'un air entendu. Et tout à coup, il fait de gros yeux et se mit à m'reluquer, comme un veau les pis de sa sainte mère de vache. « Ça va Fritz, que j'lui dis. Fais pas cette gueule-là… J'ai très bien compris ! Tu ne seras jamais qu'une nouille, mon pauvre ami, mais du moment que ça te fait plaisir… Alors, on sera quitte ? » « On sera guides ! qu'il a hurlé, heureux comme si j'lui avais donné le paradis. Du es un gic dype, Bobaul ! Ach ! Si seulement ma pauvre chère Würstchen poufait safoir ! Elle serait pien fière de son éboux pien aimé ! » « Ça va Fritz, bave pas tant et fais vite. Ils sont déjà tout près… » On entendait les pioches juste au-dessus de nous : encore un peu et elles nous entraient dedans. Alors, on a échangé rapidement nos frusques et on s'est embrassé, en bons copains qu'on était. « Adieu Fritz ! que j'lui ai dit. Tu es bien bête, tout de même, de quitter les copains pour aller pourrir seul et dans un lieu public, encore sans parler que tout ce qu'il y a d'officiel, là-haut, et de décoré, va venir t'emmerder du soir au matin et t'exciter rageusement d'ssus ! » « Adieu, Bobaul ! qu'il m'a répondu, en écrasant une larme. Gue feux-du, bour nous audres, poches, bourrir toucement sous un Arg de Driomphe, c'est le fin du fin ! le mm ! des mm ! le gna des gna ! Si seulement ma paufre chère Würstchen boufait safoir ! Ach… ach ! » Et là-dessus la pioche nous entre dedans à tout casser et il y a deux types en chapeau claque et avec des écharpes tricolores qui passent leurs gueules, de sales gueules ! — dans notre trou et qui nous regardent, l'un et l'autre avec attention. « C'est celui-ci ! » dit l'un, d'une voix émue, en saisissant Fritz par les cheveux. « C'est à ne pas s'y tromper ! dit l'autre. Même s'il n'avait pas l'uniforme, je reconnaîtrais entre mille sa bonne tête de gars de chez nous ! » J'ai failli péter de joie quand j'ai entendu ça et j'ai cligné de l'œil à Fritz, mais le pauvre boche, tout couché qu'il était, se raidissait au garde-à-vous — encore un peu mon vieux, et il leur présentait l'arme ! C'est comme ça que j'suis ici et qu'il y a un petit boche de Saxe qui pourrit à ma place, sous votre arc de triomphe, à vous autres, gens de Fougères-sur-Brie !

— Ha ! ha ! ha ! pouffa Tulipe, en se tenant les côtes. Mais elle tient pas debout ton histoire !

— Et pourquoi ça ? s'étonna la tête. Elle est pourtant vraie !

— Parce que, fit Tulipe, en frottant une allumette pour ne rien perdre de l'effet que cette déclaration allait produire sur la tête, mais parce que les morts, ça parle pas, pardi !

La tête rouquine parut sincèrement frappée par la justesse de cette remarque. Elle rougit même légèrement et détourna les yeux…

— Elle est bien bonne ! fit une voix goguenarde, d'un coin. Tenez, ça me fait penser à ma vieille !

Tulipe tourna le nez dans la direction de la voix et vit une deuxième tête, chauve celle-là, toute cabossée et déchue, qui traînait là, sur un tas d'ordures, comme un chapeau trop porté.

— C'était une brave vieille ! Un peu putain, mais si économe ! Quand on l'a étendue morte sur le lit et que j'ai allumé quatre cierges autour, elle s'est dressée tout à coup sur le drap et m'a bien regardé en fermant un œil, comme toujours, lorsqu'elle était en colère. « Enfant de cochon ! qu'elle a hurlé ensuite. Acheter quatre beaux cierges tout neufs et puis les brûler comme ça pour rien, alors que le bout de chandelle qui est à la cuisine aurait suffi ! » Faut croire qu'elle était pas encore tout à fait morte ou que ça l'a ressuscitée, pour un moment, de me voir gaspiller comme ça quatre beaux cierges tout neufs, alors que l'bout d'chandelle qui était à la cuisine aurait suffi ! « Faut pas jeter l'argent par la fenêtre, enfant de cochon ! qu'elle m'a soufflé encore. Garde-les, ces quatre cierges ! Le jour où tu passeras de mon côté, tu les prendras avec toi. Tu me les montreras, enfant de cochon ! Ou alors… gare à toi ! » Et elle est tombée raide sur le dos et elle a plus rien voulu nous dire, pas même lorsqu'on la clouait dans son cercueil. Il est vrai que ça faisait un bruit d'enfer et que même si elle avait dit quelque chose, on l'aurait pas entendu. Seulement, le jour où elle m'a vu arriver ici, elle n'a fait qu'un bond jusqu'à moi… « Et les cierges, enfant de cochon ? Et les cierges ? Je jurerais que tu les as pas… » Mais j'les avais ! Je connaissais trop bien ma vieille, moi ! T'as pas une sèche ?

— Si !

Tulipe se pencha et fourra une cigarette entre les dents de la tête chauve.

— Et moi ? s'indigna amèrement la tête rouquine. Tu m'oublies ? Tu laisses tomber un pays ? Sans parler que mon histoire, c'est bien plus crevant que la sienne !

— C'est encore à voir ! répliqua tranquillement la tête chauve. Chacun son goût, disait un chien en se léchant les couilles !

— Ah, c'est un concours ? se réjouit Tulipe. Fallait le dire de suite !

Il se recueillit, cracha, avec pénétration…

[*Monsieur Joseph*]

En ce moment, un flic traversa la tombe, une lanterne à la main. C'était un tout petit flic, avec une barbe, l'air triste. Il allait, la braguette ouverte et de sa main libre, il s'amusait distraitement à allonger le plus possible sa virilité, en tirant dessus et à la lâcher ensuite, brusquement : la virilité s'empressait de reprendre alors ses dimensions ordinaires, lesquelles étaient fort modestes, avec un claquement sec, comme un coup de fouet.

— Eh ! s'étonna sincèrement la tête chauve. Il arrive à deux mètres d'écart au moins !

— Eh bien, répliqua immédiatement Tulipe, [[1]ma femme avait autrefois loué une chambre à un type qui faisait bien mieux que ça… Même qu'il en est mort, le pauvre ! C'était un rédacteur au Ministère des Beaux-Arts, un mec grassouillet et tranquille, mais qui avait la vilaine manie de

1. Début de la trame originelle de *Gros-Câlin*, *op. cit.*, transposition de l'histoire de monsieur Joseph et de Joséphine.

jouer de la flûte, du soir au matin : possible que c'était joli, cette musique, mais la nuit, ça nous courait quelquefois drôlement sur l'haricot... Eh bien, un soir, on se mettait justement au lit, ma femme et moi et monsieur Joseph, à côté, soufflait dans sa flûte comme un enragé... Et puis, tout à coup, il s'arrête et on l'entend qui crie : « Au secours ! À moi ! » Et puis encore : « Couche ! couche ! Joséphine ! Veux-tu coucher ! » comme s'il y avait un cleps dans son lit. Ma femme se précipite et moi derrière et on fait toc ! toc ! à sa porte... « Entrez ! qu'il nous gémit. Mais faites bien attention à Joséphine... ne la touchez pas, surtout ! Elle est très excitée, elle peut vous piquer ! Couche ! Couche ! qu'il ajoute. Couche, Joséphine... Il ne faut surtout pas que je m'arrête de jouer ! » Ma femme entre et moi derrière... « Eh bien, dit ma femme, en reniflant d'émotion. Pour sûr qu'elle est belle ! » Monsieur Joseph il était couché sur le dos, en soufflant dans sa flûte, et Joséphine, elle avait bien un mètre cinquante, à ce moment-là ! Elle s'était dressée, comme un serpent, et elle remuait, elle secouait bizarrement sa gueule, comme fascinée... Je suis sorti bien vite et ma femme derrière et une fois dans le couloir, elle me dit : « À combien qu'on pourra vendre les places ? Hein ? » « À dix thunes ! que j'lui réponds sans hésiter. D'ici deux jours, on aura toutes les gonzesses du quartier dans l'escalier ! Plus tard, on collera des affiches partout, dans la ville ! » « On pourra aussi faire un peu de publicité en province ! qu'elle me dit. Et en Amérique ! Les Américaines, elles payent en dollars et elles aiment bien ça ! » « Plus tard, si ça continue, que j'ai murmuré alors, on pourra s'agrandir… En six mois, on mettra assez d'argent d'côté pour ça ! » « J'sais pas ! qu'elle dit. Par le temps qui court, faut pas trop songer à bâtir. Mais on pourra s'payer cette petite maison à la campagne qui te fait tellement envie… chéri ! » Et alors, elle m'a embrassé et elle a dû me soutenir pour que j'tombe pas… J'avais un peu oublié son goût. Et monsieur Joseph, depuis cette nuit, on peut dire qu'il était foutu ! Il fallait qu'il joue de la flûte, sans s'arrêter, et Joséphine s'allongeait de jour en jour, comme enchantée. On lui donnait à boire dans une cruche, tous les matins et à midi, elle gobait une douzaine de moineaux : lorsqu'elle était de bonne humeur, elle venait manger à la main. Pour digérer, quand il faisait chaud, elle se mettait à la fenêtre et pendait comme une grosse liane au soleil, se balançant mollement et les morveux étaient bien contents et lui jetaient les pierres. Il fallait alors appeler les pompiers pour la déloger de là à grands jets d'eau froide, qui la faisaient mugir. Finalement, elle était devenue tellement belle, qu'elle traversait facilement la chaussée et allait regarder dans les fenêtres des gens ou voler de la nourriture dans les cuisines, faisant fuir les bonniches… C'est ça qui l'a perdue. Un soir, elle était justement en train de ramper sur la chaussée, un gros bifteck dans la gueule, lorsqu'un tram arriva à toute vitesse… J'ai pas vu comment que c'est arrivé, mais monsieur Joseph, il a poussé un tel beuglement, que ma femme est allée se fourrer sous le lit et que j'ai dû appeler des voisins pour la tirer de là… On les a enterrés, tous les deux dans le même cercueil et ma femme a chauffé la maison pendant deux mois avec les demandes en mariage que le pauvre type avait reçues… Eh bien…[1]]

Il fut interrompu par un puissant ronflement. Les deux têtes roupillaient paisiblement dans leurs coins, les yeux clos…

— Merde ! s'indigna Tulipe, profondément vexé. Merde, remerde et archi-merde ! Si c'est pas honteux !

1. Fin de la trame de *Gros-Câlin.*

[*Le Saint-Graal*]

Et il s'éloigna, en titubant. À tout moment, il butait contre la paroi du souterrain, il sentait, sous la main, l'eau qui coulait, sueur froide des pierres, et aboutit enfin à l'entrée d'une tombe étroite, faiblement éclairée par une bougie. Dès le premier coup d'œil, il reconnut une cellule de moine. Un lit de fer, recouvert d'un suaire jaunâtre, mais propre — la couleur tenait sans doute à son extrême vieillesse — occupait tout un coin. Au-dessus du lit, un crucifix. En face, un grand coffre aux serrures rouillées, emplissait à lui seul la moitié de la fosse. Entre le coffre et le lit, sur un tabouret, un moine était assis. Il paraissait très vieux : sa peau parcheminée et la barbe qui lui descendait au ventre, avaient la même couleur jaunâtre que le suaire du lit : sans doute avaient-ils le même âge. Il portait un froc de teinte imprécise et une corde lui servait de ceinture. À la vue de Tulipe, il poussa un petit cri étouffé et dégringola, avec sa barbe, du tabouret.

— Oh, mon frère, vous voilà enfin ! murmura-t-il. Je vous attendais !

— J'suis très flatté ! répliqua Tulipe. J'suis très flatté ainsi que répondit un de mes bons copains Totor la Friture au bourreau de Paris qui lui dit ça, un matin !

Le moine se donna une petite tape sur la tonsure, comme pour ranimer ses esprits, jeta un regard circonspect à gauche et à droite, chassa un rat indiscret qui écoutait et murmura :

— Soyez béni, mon fils. Je pourrai enfin goûter un repos bien mérité ! Jusqu'à présent, je passais mes nuits à veiller, par crainte d'un cambriolage... Je ne veux médire de personne, mais il y a toutes sortes de gens, par ici !

— C'est vrai ! approuva Tulipe, d'un air dégoûté.

— Cette nuit, je pourrai enfin reposer en paix. Il était temps : les heures d'insomnie ont donné à ma barbe cette teinte roussie que vous lui voyez. Vous sentez le pinard à quinze sous le litre mais la sagesse de celui qui vous envoie ici est infinie...

Solennellement :

— Jeune homme ! clama-t-il. Je vous transmets la garde du Saint-Graal, où le sang du Christ est enfermé !

— Pour sûr, reconnut Tulipe, que ça vaut mieux que le pinard à quinze sous le litre, comme tu dis !

Le moine bondit vers le coffre. Les serrures grincèrent. Il se pencha et demeura un instant le derrière en l'air...

— Qu'est-ce… qu'est-ce…

Il beugla soudain en rejaillissant du coffre et en s'arrachant la barbe, à larges poignées :

— Volé ! On m'a volé ! Seigneur, ayez pitié de moi ! Mais non, je rêve, je dois rêver…

Il se frotta les yeux avec les poils de sa barbe, dont ses mains étaient pleines :

— Comment l'ont-ils fait ? sanglota-t-il. C'était une serrure américaine du dernier modèle ! Il aurait fallu un miracle…

Il s'interrompit. Un soupçon, sans doute, venait de lui traverser l'esprit.

— Serait-ce…

Il se pencha, se replongea dans les profondeurs du coffre… Lorsqu'il réapparut, sa main tenait un billet. Il chaussa une paire de bésicles, approcha le billet de la bougie et lut, d'une voix tremblante :

— Celui qui lit ça est un coïon !

Il leva les yeux, regarda Tulipe avec désespoir et glapit :

— Je vous le disais bien, qu'il fallait un miracle ! Eh bien, nous sommes servis ! C'est lui qui l'a fait ! De Sa main ! Je reconnais parfaitement l'écriture ! D'ailleurs, il n'y a que lui pour vous écrire encore en vieux français ! Ah, le cha…

Il s'interrompit à temps, se signa et continua, en s'arrachant à nouveau la barbe :

— Je suis un bon chrétien, mais ma patience connaît des limites ! Tonnerre et enfer ! C'est à se la prendre et à se la mordre ! Je ne veux médire de personne, mais depuis qu'il est si vieux et si miteux, il ne pense plus qu'à se saouler la gueule et à se balader à travers le cimetière, en jouant à tout le monde des tours de cochon... Merde alors, na !

Il s'arracha une superbe poignée de poils de la barbe, referma le coffre d'un coup de pied, s'assit dessus et affirma :

— Parce que je suis sûr que c'est lui qui a fait le coup !

— Eh bien, oui, c'est moi ! beugla soudain une voix de basse, qui paraissait jaillir de partout à la fois. C'est moi ! Et puis après ?

Une forte odeur de rhum se répandit dans l'air.

— Il a encore bu ! grogna le moine, l'air renfrogné.

— Eh bien, oui, j'ai bu ! hurla la voix. Et si cela me plaît, j'boirai encore ! Et si cela me plaît, j'te dégueulerai sur la tonsure ! Oh là là !

Un rire s'éleva, pareil au tonnerre.

— Quant au Graal, j'l'ai pris, parce que j'en aurai besoin tout à l'heure pour bien montrer l'opinion que j'me fais d'l'Église de Rome et de toute la Doctrine !

La voix se tut, rota, puis reprit, s'adressant manifestement à Tulipe :

— Et toi, camarade, qu'est-ce que tu en penses ?

— Sire ! bégaya Tulipe, en se mouchant d'émotion. Ma femme avait autrefois loué une chambre à un type, sire...

— Appelle-moi : camarade ! ordonna la voix. Soyons de notre temps, que diable !

Elle brailla, en faisant trembler la terre :

C'est la lutte fina……ale,
Groupons nous et demain
L'In-ter-na…ationa…a…le,
Sera le genre humain !

La voix s'éloigna, comme un orage qui passe.

— Il chante faux ! constata Tulipe.

— Et toujours saoul, murmura le moine. Toujours saoul !

Il s'arracha encore quelques poils de la barbe, mais sans entrain et les grilla pensivement dans la flamme de la bougie, cependant que Tulipe s'éloignait d'un pas digne. Au même moment, il perçut le bruit de plusieurs respirations haletantes, entrecoupées de rots nerveux : des hommes devaient être là, des hommes vivants, sans doute car leur haleine gardait encore le souvenir d'un bon repas. Il s'arrêta, se tapit prudemment contre la terre froide.

— Frottez au plus vite une allumette, frère Jacques ! J'ai horriblement peur ! fit quelque part, de l'ombre, une voix émue.

— Je le ferais volontiers, frère Jehan, si seulement vous vouliez bien lâcher ma manche… Ma main tremble déjà suffisamment toute seule… Ça y est !

Une lumière jaillit, Tulipe vit deux moines, blottis l'un contre l'autre, qui fixaient le noir avec une grande méfiance. Le plus gros tenait un bout de bougie et se trouvait un peu en avant. Le plus petit se cachait derrière le gros, le tirant nerveusement par le froc et avançant de l'ombre une vilaine tête d'enfant vicieux.

— Ça doit être ici, frère Jacques ! murmura-t-il.

— C'est aussi mon opinion, frère Jehan. Laissez donc mon bras tranquille, voulez-vous ? Hum, hum. Vous devriez aller explorer un peu l'endroit.

— Pas du tout, pas du tout, frère Jacques ! Je refuse absolument de me plonger plus avant dans ces ténèbres d'Apocalypse ! Je sens qu'il suffirait d'un rien pour me faire rendre l'âme au Seigneur !

— Le Seigneur serait bien avancé ! grogna le moine. Vous n'êtes qu'un poltron, frère Jehan. Je m'en suis du reste toujours douté ! Le fait est que j'aurais dû me choisir un autre compagnon !

— Certes, certes, vous auriez été bien inspiré en ce faisant, frère Jacques ! piaula le petit moine, visiblement blessé. D'autant plus que je n'ai que très peu de confiance dans vos voix, je vous le dis franchement !

Le gros moine rougit violemment et toutes les chairs de son visage flasque se mirent à trembler.

— Vous osez me dire ça, frère Jehan ! gronda-t-il. Ai-je bien entendu ? Vous osez mettre en doute MES voix ?

— Parfaitement, frère Jacques ! J'aurais mauvaise grâce à vous le cacher plus longtemps !

— Mais qui êtes-vous donc, frère Jacques,

pour prendre une pareille responsabilité sur vos frêles épaules ? Hein ? hein ? hein ? Pour notre Saint Père de Rome ?

— Pas moi, frère Jacques, pas moi... Mais j'en connais un qui s'en croit bien plus que ça !

— Que ça ! Que ça ! Vous êtes un mauvais chrétien, frère Jehan. La façon dont vous parlez du Saint Père le prouve abondamment ! J'en référerai à qui de droit...

— Je ne vous le conseille pas, mon cher frère !? piaula le petit moine et Tulipe vit son nez frémir d'emportement. Sinon, il pourrait bien se trouver quelqu'un pour vous rendre la politesse... Après tout, les fesses de la sœur aumonière doivent en avoir assez d'être pincées !

Le gros moine faillit se trouver mal. Il devint cramoisi et hoqueta affreusement :

— Co - comment ? Co - comment ?

— Comme ça ! glapit le petit moine en lui tirant la langue.

— Ça va ! dit soudain une voix de basse, terrible, dans le noir, avec une telle force, que Tulipe reçut une véritable pluie de postillons dans les yeux. Vous n'êtes pas ici pour vous engueuler !

Les deux moines reculèrent, rentrèrent leurs têtes dans les épaules et se firent petits, petits, comme s'ils voulaient rentrer sous terre.

— La voix ! murmura le plus gros. Vous avez entendu ? Ma voix !

— J'ai entendu. Vous pourriez peut-être lui demander où il faut chercher ?

— Ma voix ! répétait toujours le gros moine,

comme frappé d'extase. Ma voix ! Ô joie ! Ô délice ! Ô miracle ! Comme les saints bienheureux, comme Saint Jules, comme Sainte Anne, j'entends des voix ! Depuis plusieurs nuits, déjà, elle retentissait à mes oreilles ! Elle me disait : « Lève-toi donc, gros couillon ! Lève-toi, au lieu de rêvasser honteusement aux fesses de la sœur aumônière que tu es le seul à ne pas avoir vues, et va au cimetière de Carras ! Escalade la grille, fais deux pas devant toi et soulève la pierre que tu trouveras là. Cette pierre est assez lourde, tu ferais bien de prendre un copain avec toi, à cause de ta hernie... » Car elle pensait à tout !

Tulipe vit le gros moine, attendri, écraser une larme.

— Elle était pleine de prévoyance ! « Tu pourrais prendre par exemple ce petit morveux, là-bas, ce frère Jehan, qui est en train de se branler dans l'oreiller... »

— C'est pas vrai ! piailla le petit moine. Elle a pas dit ça ! Vous mentez, frère Jacques !

— Elle l'a dit ! affirma avec force le gros moine. Je le jure ! taisez-vous, frère Jehan et soyez plutôt fier d'avoir été jugé digne d'une telle mission !

— Elle l'a pas dit ! s'obstinait le petit moine, les poings dans les yeux. Elle l'a pas dit, hou, hou, hou !

— Eh bien si ! Je l'ai dit ! gronda soudain la voix, courroucée.

Les deux moines firent un bond.

— Je l'ai dit ! Et puis après ? Ventre Saint Bleu, merde ! C'est-y pas la vérité ?

— Brr… brr… brr… claquait des dents le petit moine, en bavant de peur.

— C'est-y pas vrai ? Réponds !

— Sssi… si… avoua piteusement le malheureux.

— Eh bien, tu vois ! se rasséréna la voix. Moi, j'mens jamais ! C'est pas mon genre !

Le petit moine soupira tristement. Le gros murmura :

— Vous voyez, frère Jehan… La voix n'a pas menti, elle ne ment jamais ! Nous sommes venus, vous avons soulevé la pierre… Et maintenant il ne nous reste qu'à trouver le Saint-Graal, qui doit être là ! Hum, hum… Tout de même, frère Jehan, je ne me serais jamais douté que vous faisiez des choses pareilles, avec votre oreiller !

Le petit moine avala un sanglot.

— N'avez-vous pas honte ? Un bon chrétien, des saletés pareilles… Pourquoi ne prenez-vous pas l'exemple sur moi, frère Jehan ?

— Toi ! beugla soudain la voix. Toi, tu commences à nous courir ! Qu'est-ce que tu faisais, jeudi dernier, avec cet enfant de chœur, seul dans le presbytère, après midi ? Hein ? Réponds !

— J…J… Je… bégaya le gros moine. Je lui apprenais le catéchisme !

— Eh bien, gronda la voix, il rentrait rudement mal, ton catéchisme ! M'est avis aussi que tu l'enfonçais hop ! Le gosse hurlait comme un damné !

— Hé — hem ! fit le petit moine, en se redressant, Hé — hem.

Le gros toussa d'un air gêné.

— Allons, trêve de fariboles, mettons-nous à la besogne, frère Jehan ! Commençons par cette dalle-là, contre le mur… Attendez… Ça y est ? Une… deux…

Ils peinèrent, pliés en deux. Ils avaient posé la bougie par terre et leurs ombres se penchaient par-dessus eux, comme pour mieux voir…

— Trois ! Ouf… Recommençons !

La pierre résistait de toutes ses forces…

— Une, deux…

— Tenez ! hurla soudain la voix de basse, dans le noir. Il faut donc toujours qu'on vous aide, tas de fainéants ?

— Hou ! hurlèrent les deux moines.

La dalle venait de jaillir du sol, s'arracha de leurs mains, monta en l'air et retomba de côté. Les deux moines furent projetés par terre, mais se relevèrent rapidement, se ruèrent vers le trou béant…

— Oh !

Ils se penchèrent, avec d'infinies précautions, levant la bougie… De l'endroit où ils se trouvaient, Tulipe les vit, qui ramassaient d'une main tremblante un vase étincelant : leur bougie y plongeait sa lueur, comme un regard et cette lueur rejaillissait partout, mille fois réfléchie…

— Le Saint-Graal ! héla frère Jacques. Vous voyez bien, frère Jehan : la voix n'a pas menti ! Ô Joie ! Ô Délice ! Pensez donc à la tête que feront les hérétiques, lorsqu'ils le verront ! Et les Juifs ! Et les francs-maçons ! Vous connaissez mon absolu désintéressement, frère Jehan, mais je crois que le Saint Siège n'oubliera pas l'humble serviteur, qui lui rend un service pareil, le pauvre moine entre tous choisi par la main du Seigneur... Je veillerai du reste à ce qu'on se souvienne de vous aussi, frère Jehan. Vous pouvez compter sur moi. Hum, hum. Au lieu de ce grossier oreiller en toile, vous en aurez désormais un de soie !

Mais, chose curieuse, frère Jehan ne releva pas l'allusion. Il paraissait très mal à son aise. Tulipe constata avec effarement qu'il regardait le vase d'un air assez peu catholique, en se pourléchant les lèvres. Et il paraissait étouffer. Il porta la main à son cou, desserra le col...

— Hé... voilà t-il, en branlant la tête, stupidement. Hé...

— Qu'avez-vous, frère Jehan ?

Le petit moine ne quittait pas le vase des yeux.

— Hé... toussa-t-il. N'avez-vous pas... n'avez-vous pas soif, frère Jacques ?

Frère Jacques se recueillit, un moment.

— C'est curieux, dit-il enfin, avec lenteur. Maintenant que vous avez enfin attiré mon attention... Positivement... Je... j'ai soif, frère Jehan !

D'un geste spasmodique, il s'arracha le col...

— Au secours ! brailla soudain le petit moine, en haletant, la bouche ouverte. J'étouffe... je me meurs ! C'est ... c'est un piège, frère Jacques ! Une diablerie ! Je...

— À boire ! à boire ! hurla le gros moine, en roulant des yeux affreux.

— À boire !

Ils se turent, tout à coup, se regardèrent. Puis, d'un commun accord, ils se ruèrent sur le vase. Frère Jacques s'en empara le premier, fit voler le couvercle en mille éclats contre la dalle, porta le vase à sa bouche...

— Glouglouglouglou...

— Bordel de Dieu ! bégaya Tulipe.

— Vite, vite... passez-le-moi, frère Jacques, Vite, vite...

Le petit moine sautillait fébrilement autour de son compagnon, comme un homme pressé par le besoin autour d'une pissotière...

— Vite...

Il arracha le récipient des mains de frère Jacques, renversa la tête... Cela fit, dans son gosier, un gargouillement éperdu... Il s'essuya enfin la bouche, rejeta de côté le vase vide. Ils se regardèrent. Puis ils soupirèrent. Puis ils s'assirent par terre, face à face, les jambes écartées...

— Ho ! ho ! ho ! pouffa le gros, en clignant de l'œil.

— Hi ! hi ! hi ! pouffa le petit.

— Bordel de Dieu ! fit Tulipe.

— Elle est bien bonne, frère Jehan !

— Marrante, frère Jacques !

— Je me sens positivement ragaillardi ! frère Jehan !

— Et moi donc ! frère Jacques !

— Ho ! ho ! ho ! frère Jehan !

— Hi ! hi ! hi ! frère Jacques !

— Bordel de Dieu ! fit Tulipe.

— Dommage que la sœur aumônière ne soit pas là, ni le petit enfant de chœur !

— Dommage que je n'ai pas ici mon petit oreiller !

— Vous êtes un homme gaillard, frère Jehan !

— Et vous, un gros porc plein de soupe, frère Jacques !

— Ho ! ho ! ho !

— Hi ! hi ! hi !

— Bordel de Dieu ! fit Tulipe.

— J'me sens comme qui dirait saoul ! frère Jehan ! Et écoutez-moi ceci — prr ! prr ! J'ai des vents.

— Après l'bon vin, l'bon vent ! c'est régulier, frère Jacques ! Moi-même… prr ! J'pète dur, frère Jacques ! Et… hic ! hic ! j'rote dur aussi !

— Ho ! ho ! ho !

— Hi ! hi ! hi !

— Bordel de Dieu ! fit Tulipe.

— Mon opinion est que nous nous sommes positivement saoulé la gueule ! frère Jehan !

— Cette opinion, je la partage, frère Jacques !

— Et que nous allons dégueuler de ce pas !

— Brr… Brr… Brr… c'est déjà fait, frère Jacques !

— Attention à votre crucifix !

— Trop tard !

— Ho ! ho ! ho !

— Hi ! hi ! hi !

— Bordel de Dieu ! fit Tulipe.

— Voulez-vous qu'on chante ensemble, frère Jacques ? J'ai eu autrefois une assez belle voix... Le père Dupanloup, par exemple ?

— Chiche !

Le gros moine ouvrit la bouche, puis une idée parut se présenter à son esprit : elle y fut reçue.

— Une seconde, frère Jehan, fit-il, d'une voix soudain grave. Je voudrais vous demander d'abord quelques éclaircissements. Il m'a semblé — détrompez-moi, si je m'abuse — que vous m'avez traité à l'instant de gros porc ; maintenez-vous cette expression ?

— Parfaitement ! frère Jacques.

— Et qu'entendez-vous au juste par là ?

Le petit moine enfla d'importance.

— J'ai voulu vous comparer, frère Jacques, à ce mammifère quadrupède dont parlent les Écritures, si justement réputé pour la vilenie de ses mœurs, la bassesse de ses instincts et la qualité de sa chair, l'accès à laquelle se trouve du reste interdit aux mécréants, et plus particulièrement, aux Mahométans et aux Juifs !

— Voilà donc un point acquis, frère Jehan... Et maintenant, n'avez-vous pas insinué quelque chose d'infect au sujet de cet innocent petit chanteur, mon frère ?

— C'est parfaitement exact ! reconnut fièrement frère Jehan. J'ai toujours eu le courage de mes opinions, moi ! Le petit chanteur n'est innocent que d'un seul côté et vous êtes un pourceau, frère Jacques ! Je dirais même — en reprenant mon expression première : un porc !

Il y eut un silence glacé.

— Je présume, hoqueta le gros moine, que vous avez bien mesuré toute la gravité de votre allégation ?

— Je l'ai fait ! affirma le petit.

— Et que vous ne la retirez pas, ainsi que je vous l'ordonne ?

— Pfft ! Je vous méprise, frère Jacques ! Du reste, il y a toujours eu dans l'expression de votre tonsure, un je ne sais quoi de provocant, qui me porte souverainement sur les nerfs !

Il y eut un nouveau silence.

— Je présume, souffla le gros moine, que vous mesurez exactement, cette fois encore, le poids de ce que vous avancez là ?

— Très exactement ! affirma le petit moine, avec un joli mouvement du menton.

— Bien ! fit posément frère Jacques. Nous passerons dès lors aux représailles !

Et il donna une gifle sonore à son compagnon. Ce qui se passa ensuite, Tulipe eut quelque peine à s'en rendre compte. Les deux moines se levèrent... bondirent l'un sur l'autre... se prirent aux cheveux... roulèrent par terre... se dégueulant mutuellement sur la figure... braillant... sanglotant... pétant... se cognant aux parois... aux dalles... aux pierres... cependant qu'un rire énorme secouant le souterrain, qu'une ronde de flics apparaissait soudain, matraque en main, se ruait sur les deux compères, les relevait, les séparait, les cognait dur, à grands coups de matraque dans la gueule, à grands coups de bottes au cul, et les emmenait, les traînant par la peau du cou, en hurlant :

— Allez oust ! Au poste ! Au poste ! Ça vous apprendra !

Et que la voix riait encore, alors que le groupe s'éloignait, disparaissait déjà, happé par les ténèbres... Puis elle s'interrompit et dit, avec une satisfaction évidente :

— Bon ! Si j'savais peindre, j'en ferais un p'tit tableau, à la façon de Goya. J'appellerais ça : « Les deux moines ivres emmenés par les flics après avoir bu le sang du Saint-Graal... » Un symbole, en quelque sorte ! Tu piges ? J'ai voulu exprimer de la sorte l'opinion que j'me fais de l'Église de Rome et de toute la doctrine.

— Je pige, dit Tulipe, avec une certaine réprobation dans la voix. J'suis pas bouché... Et c'est même pas nouveau, votre truc... Ma femme avait autrefois loué une chambre à un type qu'a fait exactement le même coup...

— Non ? fit la voix, intéressée. J'ai eu un précurseur ? tiens, tiens... J'n'en savais rien. Raconte !

— Voilà, fit Tulipe, avec une réprobation de plus en plus marquée, j'vous l'aurais raconté plus tôt, mais vous m'avez interrompu. Des non-polis, il y en a partout. Eh bien, c'était un petit bonhomme dans votre genre, c'est-à-dire, rudement vieux, miteux, et gueulard, sauf votre respect et qui puait aussi l'mauvais pinard... tout comme vous...

— Ça va, ça va ! fit la voix. Charrie pas !

— Bon, se résigna Tulipe. Eh bien, ce type, il était aussi instituteur, dans une école communale, ou un autre machin comme ça, j'sais pas au juste et il faisait venir des fillettes dans sa chambre et des petits garçons, pour leur inoculer, qu'il disait, « le savoir, la sagesse ». Mais si vous aviez été là, comme on était là, ma femme et moi — et si vous aviez regardé par le trou de la serrure, comme nous on a regardé, vous auriez bien vu qu'il leur inculquait quelque chose de bien différent. Et pour sûr aussi que vous vous seriez bien marré, comme nous on s'est marré ! Il habillait les petites filles en religieuses et les petits garçons en curés, et c'qu'il faisait avec eux après, j'aime mieux n'pas vous le raconter, par respect pour votre âge et pour cette barbe blanche que vous avez sûrement…

— Raconte ! tonna la voix, avec une vigueur inattendue, en bavant d'excitation sur le visage de Tulipe. De par ma chandelle verte, non ! J'ai pas d'barbe ! Raconte !

— J'vous raconterai pas, s'obstina pudiquement Tulipe, si ça vous intéresse, vous n'avez qu'à vous faire apporter les journaux d'il y a un an. Ça y est en toutes lettres. Vous pourrez vous exciter d'ssus tant que ça vous plaira. Moi j'mange pas d'ce pain-là ! Parce qu'il faut vous dire que la chose avait fini par faire du bruit, un peu de notre faute, rapport à c'qu'on faisait monter toutes sortes de petits vieux et on leur permettait de regarder par le trou de la serrure… Ça nous rapportait dans les cent balles par séance !

Il s'interrompit, cracha, puis dit :

— Si on avait su que ça vous intéresse, on vous aurait envoyé un billet…

— Hon ! fit la voix légèrement irritée. Si j'avais pas tellement envie d'entendre la fin de ton histoire, j't'aurais déjà cassé la gueule !

— Si bien, continuait froidement Tulipe, que ça a fait un gros procès, sans parler que les parents des gosses ont à moitié étripé le bonhomme. Seulement le type, il a été acquitté. Toute la France démocratique et résolument anticléricale s'était dressée comme un seul homme pour prendre sa défense. Son avocat l'avait présenté au jury comme un martyre de l'enseignement libre, un intrépide, un inlassable champion, prêt à tous les sacrifices, de l'anticléricalisme républicain éclairé. Il était vraiment très bien, cet avocat. Lorsqu'il s'est levé, lorsqu'il a regardé sombrement le jury et qu'il a beuglé soudain « Car pourquoi croyez-vous qu'il les habillait en curés et en nonnes ? Pourquoi leur faisait-il revêtir ces attributs classiques des farouches ennemis de notre chère république ? » j'ai senti, nom de nom, que j'allais péter d'émotion. Et alors il a immédiatement répondu lui-même : « Pour exprimer, messieurs, d'une façon tangible, l'opinion que se faisait la France républicaine et anticléricale de l'Église de Rome et de toute la doctrine ! » On a aussitôt acquitté le bonhomme et le jury est venu lui serrer la main, en pleurant. C'était très touchant !

— Tu n'es qu'un mécréant ! tonna la voix, avec une sympathie manifeste.

— On a toujours été comme ça, nous, dans la famille, déclara Tulipe, le doigt dans le nez.

— Et tu mérites un bon coup de pied quelque…

Elle s'interrompit soudain. Dans le silence noir, Tulipe perçut un bruit de pas…

— Oh là là ! murmura craintivement la voix, en se faisant toute petite. Faut que j'file. Voilà les trois sœurs qui rappliquent et je ne tiens vraiment pas à…

[*La nuit des flics*]

Elle s'éloigna rapidement, comme si elle prenait la fuite et Tulipe tendait déjà le bras pour avancer à tâtons devant lui, mais en ce moment, un rat piaula, un chat miaula, une chauve-souris vola et trois hideux squelettes débouchèrent dans le souterrain et s'accroupirent en craquant autour d'un cercueil délabré. Le plus petit mangeait un jambon de Parme, le plus grand vidait une bouteille, le troisième parlait, en brandissant une bougie.

— Oui, je l'ai vue aussi, grinçait-il avec lenteur. J'y suis allée directement en sortant de chez ma petite Carmen. Il y avait une belle foule, dans la maison et tous les flics : j'en ai compté deux cents, rien que dans le petit salon. Cette bonne sœur Crippe, elle ne savait plus où donner de la tête, la pauvre, mais elle a tout de même trouvé le moyen de causer avec moi…

— Elle est si gentille, si gentille, si gentille ! cette bonne sœur Crippe ! hurla le plus grand des trois squelettes, en retirant le goulot de la bouteille de sa bouche. N'est-ce pas, sœur Pédonque ?

Le jambon de Parme ne répondit rien et continua à travailler avidement de la mâchoire.

— Oui, continua le troisième squelette, notre sœur Crippe est un bon petit cœur ! « Venez, qu'elle m'a dit, dans ma chambre. On y sera tranquille, dans ma chambre, sœur Agonyse ! » Alors on est monté dans sa chambre, seulement, il y avait des flics, là aussi, sur le lit et le tapis et même sur l'étagère, un tout petit, qui bouffait d'la pâte dentifrice et on a été obligé de partir. « Vous voyez, que m'a dit cette bonne sœur Crippe, vous voyez, sœurette, il n'y a que des flics, chez nous, ce soir. C'est leur nuit, vous comprenez ! » « J'comprends, sœurette, j'comprends ! » que j'ai dit ! Et c'était vrai, il n'y avait que des flics et des flics, partout, dans l'escalier et dans les chambres et même dans l'ascenseur, avec une petite rouquine, qu'ils étaient. « Descendons à la cuisine, qu'elle m'a dit alors. On sera tranquille, à la cuisine, sœur Agonyse ! » « J'veux bien, sœur Crippe ! » que j'lui ai répondu. Et alors on est descendu à la cuisine et une fois là, sœur Crippe, elle se met à crier : « Marcelle ! Marcelle ! » C'est la serveuse qui s'appelle comme ça. Mais elle s'est rappelé, tout à coup, que la serveuse, elle était occupée aussi, rapport aux flics. « Ah ! ces flics ! qu'elle a dit. Qu'en pensez-vous sœurette ? » « De vrais démons ! » que j'lui ai répondu, en pensant qu'avec tout ce fourbi, il me sera bien difficile de voir ma petite Noémie. Et alors on s'est assis à une table et on allait déjà commencer à causer, mais voilà-t-il pas que le paravent qui était dans un coin, dégringole et on voit Marcelle, à poil, avec un gros, gros flic, sur un canapé… « Pardon, excuse, qu'il a dit, en se boutonnant discrètement. Pardon, excuses ! J'savais pas qu'il y avait des dames, ici ! » Et il s'en va, en nous saluant, très gentiment. « Marcelle ! dit alors cette bonne sœur Crippe à la serveuse, va voir dans le petit salon : il y a encore deux cents flics. J'reste ici à causer un brin, avec sœur Agonyse ! » « Si j'vous empêche de travailler, que j'lui remarque, faut pas vous gêner pour me le dire. Les affaires avant tout ! » « Non, qu'elle a dit, non. Avant tout, les amis. Et puis, c'est de votre petite Noémie qu'il s'agit ! » Car elle est si bonne, si bonne cette chère sœur Crippe !

— Si généreuse ! brailla le plus grand des trois squelettes, en levant sa bouteille et en s'assénant un coup formidable sur le crâne. Si généreuse ! N'est-ce pas, sœur Pédonque ?

Mais le jambon de Parme ne répondit rien et Tulipe l'entendit qui grognait seulement, avec férocité, la gueule pleine.

— Oui, continua le troisième squelette. Elle a vraiment un cœur d'or, cette bonne sœur ! « J'pourrais voir ma petite Noémie ? » que j'lui demande. « Tout à l'heure ! qu'elle me répond. On va y monter. » Et en ce moment, il y a Marcelle qui revient avec un très joli petit flic blond et ils s'en vont derrière le paravent et aussitôt, ça s'est mis à faire crac ! et brroum ! et patatis ! et nous, on continue à causer. « Sœur Agonyse, j'aime mieux vous le dire tout de suite : ça va pas, avec notre petite ! » « Qu'est-ce qui va pas ? » que j'lui demande. « Les clients rouspètent ! » qu'elle m'dit. « Ils rouspètent ? voyons, c'est pas possible, sœur Crippe ! » « C'est comme ça, sœur Agonyse ! » « J'l'ai si bien élevée, cette enfant ! J'lui ai tout appris ! » « Ça s'peut, sœur Agonyse, vous lui avez peut-être tout appris, mais elle sait rien ! » « Rien ? » que j'dis. « Rien ! » qu'elle dit. « Elle suce pas ? » qu'j'dis. « Mal ! » qu'elle dit. « Ça entre pas ? » que j'dis. « Ça entre trop ! » qu'elle dit. « Elle fait pas semblant ? » que j'dis. « Elle est comme du bois », qu'elle dit. « Elle rigole pas, sœur Crippe ? » « Elle pleure tout l'temps ! sœur Agonyse. » « Elle dit pas : mon chéri, mon chou, mon gros. » « Elle dit : oh, mon Dieu ! Oh, juste Ciel ! Oh, que j'ai mal ! » « Elle les gratouille pas ? » « Elle les griffe ! » « Elle les bécote pas ? » « Elle les mord ! » « C'est-y possible ? » que je m'exclame. « C'est comme ça, hélas ! qu'elle me répond. Elle sait pas du tout ce que c'est que l'amour sœur Agonyse ! » Et on a soupiré, toutes les deux, tellement c'était malheureux !

— Doux Seigneur Jésus, quelle tristesse ! beugla le plus grand des trois squelettes, en retirant le goulot de la bouteille de sa gueule et en versant un tel torrent de larmes, que Tulipe en fut tout éclaboussé et que cela fit, par terre, le bruit du cheval qui pisse.

— Pauvre, pauvre sœur Agonyse ! C'est une triste chose ! N'est-ce pas, sœur Pédonque ?

Mais le jambon de Parme ne répondit rien et se contenta de remuer les oreilles, d'un geste dubitatif.

— Et en ce moment, reprit le troisième squelette, en ce moment, il y a le flic qui était derrière le paravent qui sort et qui dit, en se frottant les mains : « J'suis bien content ! J'ai bien rigolé ! » Et puis qui s'en va. Et Marcelle, elle s'en va aussi, parce que les cent-quatre-vingt-dix-neuf flics qui étaient dans le petit salon, ils l'appelaient doucement et chantaient de beaux cantiques d'amour. « Qu'est-ce que c'est ? » dit alors, tout à coup, la sœur Crippe. « Qu'est-ce que c'est que quoi ? » que j'lui demande. « Ça m'chatouille ! » qu'elle m'répond. J'la regarde : elle un drôle d'air, tout égaré. « Oh là là ! qu'elle gémit. Ça m'chatouille, sœurette. Il y a un cochon de flic, sous la table. Il m'chatouille, sœurette ! Il m'fout sa moustache dedans ! » « Dedans ? » que j'dis, tout étonnée. « Dedans ! qu'elle gémit. Et comment ! Oh là là ! Oh là là ! » Elle pousse quelques gloussements, soupire, se baisse, soulève la nappe. Et c'était vrai, il y avait un flic sous la nappe, un tout petit, très rigolo, avec une grosse moustache rousse. Sœur Crippe, elle le prend par la peau du cou, le soulève, le pose sur la table et lui, il la regarde et puis, vraiment, il se rétrécit tout entier et devient vert. « Oh, ma mère ! qu'il a hurlé, en hoquetant. Et moi qui croyais que c'était Anny ! » Et de vert, qu'il était, il devient tout jaune. « Tu n'as pas honte, petit ? que lui dit alors cette bonne sœur Crippe, en le tenant toujours par la peau du cou ? Tu n'as pas honte ? » Et alors, le flic, de jaune qu'il était, il devient écarlate. « J'ai honte ! qu'il dit. J'ai honte, ma bonne dame ! Lâchez-moi ou j'me mets à braire ! » Alors la sœur Crippe, elle l'a soulevé, toujours par la peau du cou, l'a posé par terre et le flic s'est sauvé, en crachotant et en gémissant et en s'essuyant la moustache. Elle est si gentille, cette sœurette ! Elle ne ferait pas de mal à une mouche !

— Un cœur d'or ! Un cœur d'or ! Un cœur d'or ! hurla le plus grand des trois squelettes, d'une voix déchirante, en exhalant par la même occasion un relent nauséabond de mauvais pinard qui fit par trois fois le tour du cercueil et alla se loger joyeusement dans le nez et la gorge de Tulipe. Un cœur d'or ! N'est-ce pas, sœur Pédonque ?

Mais le jambon de Parme ne répondit rien.

— Oui, reprit le troisième squelette, elle a un cœur d'or, cette sœurette ! « Pour en revenir à Noémie, qu'elle me dit, elle est bien malade, cette fille ! » « C'est rien, que j'dis, c'est le poumon ! C'est pas avec ça qu'elle travaille ! » « Oui, qu'elle m'dit, mais elle tousse. Ça fait peur aux clients. Ils croient que c'est la chaudepisse ! » « La chaudepisse ? que j'dis. Mais elle tousse de quoi, sœurette ? De la bouche, hein ? » « Des deux, sœurette, des deux ! » Alors, j'me suis sentie bien triste et j'ai même pleuré, parce que je l'aime bien, ma petite Noémie et voilà-t-il pas qu'il lui arrive une chose pareille !

— Hou ! hou ! hou ! beugla le plus grand des trois squelettes, en versant un abondant torrent de larmes. La pauvre chère douce Noémie ! La pauvre douce Agonyse ! La pauvre chère douce...

— Ça suffit comme ça ! grogna sauvagement le jambon de Parme. Arrêtez-vous donc de pleurer, sœur Polypie ! Vous me mouillez les pieds, avec vos larmes !

Le plus grand des trois squelettes s'essuya les yeux, fit le geste de se moucher dans ses doigts et portant la bouteille à sa gueule, il but un tel coup, que le vin l'inonda en un clin d'œil et qu'il parut sortir, tout rouge, d'un bain de sang.

— Et alors, reprit le troisième squelette, après avoir dûment soupiré, on a continué à causer. « Et c'est pas tout ! » que m'dit alors cette bonne sœur Crippe. « Qu'est-ce qu'il y a encore, mon Dieu ? » que j'demande. « Elle a des fièvres ! » qu'elle m'dit. « Eh bien, que j' lui dis, c'est tant mieux ! Ça la rendra plus chaude ! » Et en ce moment, il y a Marcelle qui revient avec un gros, gros flic et ils s'en vont derrière le paravent et aussitôt ça a fait crrac ! et cracc ! et patatis ! et patata ! « Voilà, que j'dis, voilà encore un flic qui aime bien la pratiquer ! » « Ils sont tous comme ça ! qu'elle m'répond. Pour eux, dans la vie, il y a que l'amour qui compte. Écoutez-les un peu, sœurette, qui hurlent doucement et qui s'lamentent et qui chantent d'une si belle et pure voix, dans l'escalier ! » Et c'était vrai, on les entendait qui chantaient de beaux cantiques tristes et des psaumes et des litanies et qui demandaient plaintivement à aimer. Et on allait déjà continuer à causer, lorsqu'on entend, tout à coup, un craquement. « Qu'est-ce que c'était ? » que m'dit cette bonne sœur Crippe, en m'regardant. « C'est pas moi ! que j'dis. Ça doit être le flic qui la pratique, derrière le paravent ! » « Non, qu'elle dit, non. C'est pas l'même bruit. » Et on dresse l'oreille, toutes les deux et de nouveau, on entend ce craquement. Cette bonne sœur Crippe, elle n'a fait qu'un bond. « C'est l'armoire ! qu'elle a crié. Il y a un flic, dans l'armoire ! » Et la voilà qui se précipite, qui ouvre l'armoire et alors brroum ! broum broum ! il y a trois petits flics tout frétillants qui roulent sur le plancher, avec un tas de chemises, de robes, de soutiens-gorge, dans la gueule et entre les genoux. « Mince ! dit cette bonne sœur Crippe, mince ! Ils m'bouffent ma garde-robe, les sacrés petits cochons ! Comme des mites ! Allez, allez, oust ! Dehors ! » Elle leur a arraché les effets et les trois flics se sont sauvés, en pissant de peur. « Ma bonne mère ! dit alors sœur Crippe. Ils se sont donc fourrés partout aujourd'hui ! » Et elle s'met à fouiller la cuisine, à jeter un petit coup d'œil par-ci, un petit coup d'œil par-là et c'est ainsi qu'elle a trouvé deux flics dans le garde-manger, où ils bouffaient d'la confiture, un autre qui s'était endormi dans le vase de nuit, sous le lit et un quatrième dessus, qui rampait sur l'oreiller, comme une punaise.

Elle les a jetés dehors et puis elle revient et voilà qu'on recommence à causer. « Oui, sœurette, qu'elle m'dit, votre Noémie, elle me donne bien de soucis ! J'espère que ça s'arrangera, mais... » « Ça s'arrangera, que j'dis, sœurette, soyez bien tranquille. Cette petite, elle n'a que dix-sept ans, après tout ! » « À cet âge, je nourrissais déjà mon homme, sœur Agonyse ! » « Moi aussi, sœur Crippe, moi aussi ! Mais les temps ont bien changé, à présent ! Les filles ne sont plus ce qu'elles étaient ! Ça doit être la guerre qui a fait ça, sœur Crippe ! » « Ça se peut, sœur Agonyse, ça se peut, mais que voulez-vous que j'dise aux clients qui s'en plaignent, de votre petite Noémie ? » « Ça dépend, que j'dis, de quoi qu'ils se plaignent ? » « Qu'elle leur tousse au nez ? » « Ben, dites qu'elle jouit comme ça, ma bonne sœur ! » « Qu'elle a des fièvres ? » « Dites, que c'est l'amour ! » « Qu'elle s'trouve mal, en le faisant ? » « Dites, que c'est d'plaisir ! » « Qu'elle pleure, lorsqu'ils en demandent trop ? » « Dites que c'est parce qu'ils en demandent pas assez ! » « Ça sera difficile, sœurette ! qu'elle m'dit, mais par amour pour vous et pour votre petite, je vais essayer ! » « Essayez, que j'dis, ma bonne sœur, ma bonne amie, ma douce fée ! » « Et maintenant, qu'elle dit, montons la voir. Vous pourrez lui souffler un mot sœurette, pour la ramener à la raison ! » On s'était levé et on allait déjà partir, lorsque le flic qui était derrière le paravent, sort, en tenant sous le bras Marcelle, la serveuse, qui pendait comme un torchon. Il s'approche de la sœur Crippe, il s'met à genoux devant elle, il lui prend le bout de la robe et le couvre de gros bécots émus. « Merci, qu'il dit, en pleurant doucement, merci, notre bonne fée à tous, pauvres flics de Dieu abandonnés et autres gens, qui bien ont envie ! Ça m'a fait du bien, bonne fée ! Ça m'a soulagé ! Dieu te le rendra, bonne fée, en t'ouvrant toutes larges les portes de son paradis ! Ça m'a fait du bien, que j'te dis ! » « Ça s'peut, dit sœur Crippe, mais ça a crevé la serveuse ! » Et c'était vrai, Marcelle, elle pendait toujours comme un torchon, sous le bras du flic. « Ça fait rien, qu'il dit, on s'en fout ! J'l'emporte : il en reste encore assez pour les copains ! » Et il s'en va, comme ça, la serveuse sous le bras, qui pendait, la grosse chérie, comme un torchon. « Ils sont pas méchants, dit alors cette bonne sœur Crippe. Si seulement il y en avait un peu moins ! Tenez… en voilà encore un ! » Et elle a fauché un flic, qui lui rampait sur le genou et elle l'a jeté dehors, sur l'escalier, sans le tuer…

— Un cœur d'or ! Un cœur d'or ! Un cœur d'or ! cette bonne sœur Crippe ! croassa le plus grand des trois squelettes, en titubant follement autour du cercueil et en donnant tous les signes de la plus grande ébriété. Un cœur d'or ! N'est-ce pas, sœur Pédonque ?

Le jambon de Parme émit une sorte de rot laconique, qui pouvait passer pour un oui, pour un non, ou pour n'importe quoi d'autre. Tulipe, tapi contre la terre humide, épiait les trois amies d'un regard ahuri.

— Oui, un cœur d'or ! acquiesça le troisième squelette. Elle jeta donc le flic dehors et me dit : « Et maintenant, montons chez la petite Noémie. Parlez-lui, sœur Agonyse ! Il n'y a pas comme une mère pour expliquer les choses aux petits ! J'en sais quelque chose, moi ! J'ai trois filles, moi ! Même qu'il y en a une qui n'a que seize ans et qui est déjà à l'hôpital ! » « Vous êtes une mère heureuse, que j'lui dis, en soupirant. Si seulement ma petite Noémie pouvait être comme ça ! À l'hôpital… C'est-y un mou ou un dur ? » « Les deux, sœurette ! qu'elle m'dit en rougissant, parce que ça lui faisait plaisir, n'est-ce pas, de pouvoir louer son enfant. Les deux… Elle a toujours été précoce, cette fille ! » « Oh oui ! que j'répète, vous êtes une mère heureuse, sœur Crippe. Vous en avez, d'la veine ! » « Ça va, ça va, sœur Agonyse ! qu'elle m'a dit. C'est pas que j'sois superstitieuse, mais vous allez m'porter malheur. Montons ! » Et alors, on est monté. [[1]C'était plein de flics, dans l'escalier, ils bourdonnaient tous et chantaient des cantiques et des louanges au Seigneur, qui a crée, dans sa bonté infinie, l'homme, la femme, le flic et la putain, et rampaient partout, en attendant leur tour d'aimer. Au premier, on s'est arrêté et on est entré chez Noémie : une jolie petite chambre que c'était, proprette, avec un joli lit de

1. Début de l'emprunt pour *Pseudo, op. cit.* (p. 99) du passage des « flics-insectes froufroutant dans le bordel », mentionné par Gary dans *Vie et mort d'Émile Ajar, op. cit.* (p. 21).

fer, comme chez une religieuse. Et sur le lit, il y avait un flic énorme, un flic géant, un flic gratte-ciel, à poil, et tout velu, qui hoquetait et suait et soufflait et râlait comme une mare de gelée et sous lui, le lit, le pauvre lit, il criait : « Oh, mon Dieu ! Oh, juste Ciel ! Oh, sauve-moi ! Oh, oh ! » « Et Noémie ? que j'demande. Où qu'elle est, ma petite Noémie ? » « Dessous ! » que me dit alors tranquillement cette bonne sœur Crippe. Et c'était vrai, elle était dessous, l'enfant chérie, qui criait, mais elle, en entendant ma voix, elle a tendu son bras dessous le flic, un bras maigrichon, comme une allumette, avec un mouchoir, au bout, qu'elle agitait. Et alors, le flic s'est relevé — j'ai jamais vu un flic comme ça, pas même au cinéma — et la petite Noémie apparut, mais elle pouvait presque pas bouger, parce que, n'est-ce pas, le flic, il l'avait comme aplatie… « Maman ! qu'elle a gémi, en me voyant, oh maman ! » Et la voilà qui m'ouvre ses bras, en pleurant ! « Mon enfant ! que j'ai murmuré, mon enfant bien aimée ! » Et on s'est embrassé, toutes les deux, longuement, longuement…

— Doux Seigneur Jésus ! glapit le plus grand des trois squelettes, en se fourrant les poings dans les orbites. Doux Seigneur Jésus ! Comme c'est touchant ! Et dire qu'il y a encore des gens pour vous prétendre que la famille, ça n'existe plus ! Qu'en pensez-vous, sœur Pédonque ?

Le jambon de Parme n'en pensait rien de particulier et émit un bruit bizarre, quelque chose comme le grognement du chien dans sa niche.

— Oui, continua le troisième squelette, et la sœur Crippe, elle était aussi tout émue. « Ça m'chavire l'cœur, sœur Agonyse, qu'elle m'a dit, ça m'chavire l'cœur d'vous voir vous aimer comme ça. J'me sens tout attendrie ! » Et en ce moment, le gros flic, qui était en train d'enfiler ses bottes, dit un gros mot et saisit son pied gauche, des deux mains. « Aie ! qu'il fait. J'ai quelque chose, dans ce soulier. Ça m'a mordu. » « Ça doit être une punaise ! lui dit sœur Crippe. Il y en a qui ont des dents, dans le quartier. Regardez, un peu voir ! » Alors, il enlève sa botte et la secoue fortement, une fois, deux, et alors, un tout petit petit flicot en tombe et roule sur le plancher. « Excuse-moi, vieux ! dit le gros, en remettant sa botte. J't'avais pas vu ! » Et le petit, il se relève, très colère et pas du tout, du tout content et il s'met à engueuler le gros, d'une voix mince comme un fil[1].] « Espèce de crapule ! qu'il a hurlé, en devenant rouge comme un coquelicot. Chameau ! Crétin ! » « J'ai pas fait attention, vieux ! dit le gros. N'te fâche donc pas, va ! » « Tu n'peux pas regarder ce que tu fais, non ? que lui a dit le petit. Sale brute ! Je te crache dessus, na ! » Et il a craché, mais c'était comme si un moucheron avait pissé. « N'te fâche donc pas, vieux ! » dit le gros. Et puis, ils s'en vont, l'un et l'autre et le gros faisait bien attention de ne pas marcher sur le petit. « Maman !

1. Fin de l'emprunt des « flics-insectes » pour *Pseudo, op. cit.* (p. 100).

que m'dit alors ma douce Noémie, emmène-moi d'ici ! J'en peux plus, Maman ! » « Ma petite fille, que j'dis, et j'te l'embrasse et j'te la cajole, la vie, c'est pas une rigolade ! C'est même tout le contraire ! » « Vous voyez, sœurette, me souffle alors cette bonne sœur Crippe, quand j'vous le disais que ça allait pas ! » « Ça va aller ! que j'lui souffle. Attendez ! » Et puis, j'me tourne vers l'enfant Noémie : « Tu l'aimes bien, ta Maman ? que j'lui demande. Tu l'aimes, ta pauvre vieille Maman ? » « Tu l'sais bien, voyons ! » qu'elle m'répond, en pleurant. « Et tu n'veux pas, n'est-ce pas, lui briser le cœur en mille et mille petits morceaux ? » « Nenni ! quelle m'répond, en sanglotant. J'aimerais mieux mourir ! » « Alors, soleil de mes nuits glacées, faut rester, prunelle d'mon œil, mamelle d'mon sein, faut rester et travailler, s'donner d'la peine, mettre du cœur à la besogne et tout et tout, pour que cette sainte sœurette Crippe, elle soit contente ! » « J'resterai, Maman ! » qu'elle m'a murmuré, à travers les larmes. « Brave petite Noémie ! que j'ai dit, en lui essuyant les yeux. J'savais bien, moi que tu les comprendrais, les choses ! » « Y a pas comme une mère, dit alors cette bonne sœur Crippe, y a pas comme une mère pour vous les expliquer ! » « Et alors, tu resteras ? » que j'demande encore, pour être tout à fait sûre. « J'resterai ! » qu'elle m'répond. « Et tu tousseras plus ? » que j'demande. « J'peux pas m'en empêcher, qu'elle m'répond, mais j'leur dirai que j'jouis comme ça ! » « Et tu les grifferas plus ? » que j'demande. « Que non ! qu'elle répond, en sanglotant. J'les cajolerai. » « Et tu hurleras plus, que j'dis, lorsqu'ils en demanderont trop ? » « Que si ! qu'elle dit, en hoquetant. Mais j'dirai que c'est parce qu'ils en demandent pas assez ! » « Brave petite Noémie ! que j'dis, en l'embrassant. » « Brave petite Noémie ! que dit alors sœur Crippe, en l'embrassant. » « Sœur Crippe ! » que j'dis, en l'embrassant. « Sœur Agonyse ! » qu'elle dit, en m'embrassant.

— Sœur Crippe ! Sœur Agonyse ! hurla le plus grand des trois squelettes, complètement ivre, en faisant voler la bouteille en éclats, contre son crâne, en se ruant sur sa compagne et en lui collant bruyamment ses dents sur le front, dans un geste de tendre baiser. Hurrah ! Embrassons-nous ! Aimons-nous tous ! Hurrah ! Sœur Pédonque…

Elle s'élança, saisit le jambon de Parme à deux mains et lui colla également un baiser éperdu sur l'occiput. Le jambon de Parme parut sidéré, mais ne dit rien.

— Oui, reprit le troisième squelette, en s'essuyant très soigneusement les dents, on s'est embrassé, toutes les trois, parce que c'était si émouvant et on allait déjà partir, la sœur Crippe et moi, lorsque la petite Noémie pousse un cri. « Qu'est-ce qu'il y a, que j'demande, un morpion ? » « Un flic ! » qu'elle m'dit, en s'arrachant un poil, et c'était vrai, il y avait un flic qui pendait au bout, en remuant drôlement les pattes. Et là-dessus, on entend un grand fracas et tous les flics qui étaient dans l'escalier font sauter, d'un seul coup, la porte et pêle-mêle roulent dans la pièce. Une vraie termitière qui entrait ! Ils grouillaient partout, me grimpaient entre les cuisses, sur les nichons, entre les fesses, que c'en était dégoûtant ! « On n'en peut plus, bonne fée ! » qu'ils ont hurlé à la sœur Crippe, en la saisissant et en saisissant aussi la petite Noémie, qui eut juste le temps de crier « Maman ! » et puis, j'ai plus entendu que des crrac ! et des brroum ! et des patatis ! et des patatras ! et des claquements de langue et des « c'est-y bon ! » et des « c'est-y doux ! » et des « petite fée ! » et des « sacrée, sacrée petite fée ! » et alors je me suis sauvée, vite, le plus vite que je pouvais, en retroussant bien tout mes jupes...

Elle termina son récit dans un soupir et se boucha une larme invisible, au coin de l'orbite...

— Tss... fit soudain une voix discrète dans le noir.

Les trois squelettes dressèrent l'oreille. Tulipe avança, prudemment, le nez de l'ombre et vit : c'était un flic. Il se tenait immobile au seuil de la tombe, juste en face de lui. Il avait pour tout vêtement un cercueil de qualité grossière et de fort méchante coupe, ses bras pendaient à l'extérieur par deux trous pratiqués dans les parois et la bougie jetait cruellement sa lumière sur ses pieds énormes, nus et étonnamment blancs. Dans sa main droite, il tenait une bottine et dans sa main gauche, un képi cabossé et miteux.

— Tss... fit-il encore.

Les trois squelettes braquèrent leur orbite dans sa direction. Aussitôt, le flic amena sur ses lèvres un sourire qui n'aurait certes pas manqué de charme, si un rat de forte taille n'en avait pas profité traîtreusement pour s'enfuir de la bouche du flic, sauter à terre et se perdre dans la nuit. Le flic parut très contrarié par cet incident, rectifia, avec embarras, la position du cercueil sur ses épaules et fit :

— Hum ! Hum ! avec beaucoup de dignité.

Là-dessus, il voulut dire quelque chose, mais à peine eut-il ouvert la bouche qu'un autre rat passa son museau dans l'entrebâillement, promena un regard désabusé sur la nuit humide, remua les moustaches, d'un air dégoûté et rentra précipitamment. Le flic parut ennuyé au possible et rougit même légèrement. Il hésita, un moment, puis murmura, en faisant cette fois bien attention de ne pas trop ouvrir la bouche :

— Laquelle de ces dames est consentante ?

La réponse des trois squelettes ne se fit pas attendre.

— Moi ! hurla le plus petit, en rejetant au loin son jambon et, se ruant sur le flic, il baisa ses douces lèvres bleues avec une telle ardeur, que sa mâchoire s'affaissa, ses dents craquèrent et que toute une famille de rats composée du père de la mère et de six gentils ratons en bas âge se sauva de sa gueule, dans un grand chœur de piaulements épouvantés.

— Moi ! affirma le plus grand, en se levant posément, en ajustant soigneusement son crâne sur ses épaules et en embrassant le flic avec une telle effusion que le cercueil s'ouvrit, croula et que le flic demeura nu et honteux, cependant que tout un nuage de mites s'élevait de son sexe.

— Moi ! vociféra le troisième et plongeant en avant cul par-dessus tête, il arracha à ses compagnons le flic nu et gigotant, le prit sous le bras, comme une bûche et s'enfonça avec sa proie à puissantes enjambées dans le noir, poursuivi par les deux squelettes vengeurs et déchaînés, qui troublaient la paix des morts de leurs glapissements indignés...

Tulipe les entendit, tous les quatre, qui hurlaient dans le souterrain, puis ces hurlements s'espacèrent, s'étouffèrent et le silence régna enfin, triomphant...

[*Le pierrot et la colombine*]

Mais ce fut un règne éphémère. Presqu'aussitôt, Tulipe perçut en effet un chœur de voix tristes qui montait vers lui lentement, du cœur des ténèbres. Il écouta et reconnut l'air sans difficulté.

— C'est le chœur des bateliers de la Volga, j'me trompe pas ! marmonna-t-il, tout en se guidant sur les voix. Je le reconnais parfaitement ! A... aa... a... C'est pas plus difficile que ça, affirma-t-il. Autrefois, ma femme avait loué une chambre à un bonhomme, un Russe. Il était chanteur dans un chœur cosaque. Il était aussi constipé. Toutes les fois qu'il allait aux lieux, il arrivait jamais à faire ça en moins d'une heure. Ma femme, elle venait alors frapper à la porte avec un balai. « Ça y est-y, monsieur Nicolas ? qu'elle lui criait. J'ai bien envie, moi aussi ! » « Taisez-vous, femme sans cœur ! qu'il lui hurlait. Vous ne comprenez donc pas que je souffre ? » Et puis, il se mettait à râler, à râler... « Si vous continuez à faire des efforts pareils, que j'lui criais, ça vous sortira par la bouche et les oreilles ! » « Je m'en fous ! qu'il râlait, pourvu que ça sorte ! » Et il continuait à peiner. Ma femme, elle en était réduite à aller faire pipi chez les voisins. Eh bien, ce russe, il avait fini par trouver un truc. Toutes les fois que ça commençait à n'pas sortir — autant dire tous les jours — au lieu de râler comme une truie qu'on égorge, il y allait d'un chant de bateliers de la Volga. Ça le soulageait nettement ! « A... aa... a... qu'il faisait. A... aa... a... a... » C'était vraiment pas mal. Il avait une jolie voix, ce garçon et puis on sentait que ça venait du cœur, de l'âme, des entrailles, qu'il souffrait, qu'il peinait pour de bon, sans chiqué... Si bien que ma femme et moi, on le priait toujours de nous dire à l'avance quand il sera constipé. Comme ça, on sortait pas et on restait à l'écouter. On invitait même quelquefois des amis à déjeuner et on laissait la porte de la cuisine bien ouverte, pour l'entendre... « A... aa... a... » qu'il faisait, des chiottes. Les voisins aussi l'écoutaient volontiers, sur le palier. Il y avait surtout une petite blonde, une dactylo, qui lui faisait toujours des yeux doux. « Vous serez pas constipé, par hasard, demain matin, monsieur Nicolas ? qu'elle lui demandait, en rougissant. Vous avez une si jolie voix !... » « Mais si, Mademoiselle Annette, mais si ! » qu'il faisait. « Et... l'après-midi ? » « Et l'après-midi aussi, Mademoiselle Annette ! Pour vous, je le serai volontiers toute ma vie ! » Si bien qu'il sortait plus des chiottes du tout et qu'on embêtait les voisins, ma femme et moi, avec nos petits besoins… Qu'est-ce que vous voulez, l'amour, ça connaît pas de lois… Il a fini par lui faire un gosse et il nous a quittés pour l'épouser. C'est comme ça que j'ai appris l'air des bateliers de la Volga… Un bien joli air !

Il déboucha dans une fosse spacieuse et s'arrêta. La fosse était occupée par une cinquantaine de moines, de noir vêtus, aux capuchons rabattus sur les yeux. Ils peinaient dur, tirant sur une corde, dont on ne voyait qu'un seul bout. L'autre se perdait quelque part, dans l'ombre épaisse. Les moines peinaient et chantaient en chœur, d'une voix monotone et lasse :

A… a… a… aaa.
A… a… a… aaa…

L'endroit était particulièrement humide et froid. Leur haleine s'élevait au-dessus de leurs bouches, formant une vapeur bleuâtre, comme s'ils fumaient. Les capuchons cachaient entièrement leurs visages. L'échine pliée, ils tiraient, tiraient toujours, sur la corde raide…

A… aa… a…

— Qu'est-ce que vous faites là ? demanda Tulipe, en ôtant poliment sa casquette. Hein ? une dure besogne, pour sûr !

Un moine répondit, en redressant la tête :

— Tu vois bien : on branle le bon Dieu.

— Tss… s'étonna Tulipe. Tss… Quelle affaire ! Et il met beaucoup de temps à jouir ?

— Ça dépend des jours, dit le moine. Autrefois, ça venait assez vite… Maintenant, ce n'est même pas la peine d'en parler ! Surtout quand il est saoul …

— Faut dire, aussi, commenta Tulipe, qu'il est rudement vieux … Et habitué, avec ça ! Depuis le temps que vous le faites…

Le moine ne dit plus rien et pliant le dos, se remit à tirer sur la corde, en chantant tristement…

— A… aa… a…

— Plus fort ! plus fort ! hurla soudain la voix de basse, que Tulipe reconnut sans peine. De par ma chandelle verte ! Plus foort ! Encore plus foort !

Les moines redoublèrent d'ardeur. La corde se tendait, se détendait…

— A… aaa… a… chanta Tulipe, en s'éloignant prudemment. C'est très mauvais ça, se toucher. Ma femme avait loué autrefois une chambre à un type qui faisait ça bien souvent. À le voir, on l'aurait pas soupçonné : il était tranquille, poli, jamais agité. Seulement, une nuit, on a été réveillé, ma femme et moi, par des glapissements horribles, des râles, qui venaient de sa chambre. On se précipite… et qu'est-ce qu'on voit ? Le type, en chemise, les fesses crispées, qui n'osait plus bouger, parce qu'il s'était pris la queue dans le radiateur ! Oui, il l'avait bien enfoncée entre deux tubes, lorsqu'elle était encore toute menue et puis, elle était devenue toute grosse et il n'arrivait plus à la retirer ! Un vrai malheur ! Il hurlait, à vous rendre malade : surtout qu'on était en plein hiver et le radiateur, de tiède qu'il était d'abord, se chauffait maintenant à blanc… même que ma femme disait après que c'était pour se débarrasser de la queue et qu'à sa place, elle aurait fait la même chose. En tout cas, le type, il hurlait à rendre l'âme ! Et il n'arrivait toujours pas à se retirer et le radiateur chauffait de plus en plus ! Même que ça commençait à sentir sérieusement le brûlé ! J'ai mis ma femme dehors — c'était trop fort pour elle, un spectacle comme ça, ça l'énervait sérieusement — et puis, j'l'ai aidé à tirer dessus. Ça marchait quand même pas et j'ai dû courir chercher un voisin… À trois, on est enfin arrivé à l'arracher du radiateur. C'est comme ça qu'on avait appris que le type, il se touchait. Il est vrai qu'il a jamais voulu avouer ça, il prétendait qu'il s'était pris la queue par hasard dans le radiateur, en se promenant dans la chambre. Oui, oui, oui… C'est très mauvais, ça, se toucher !

Il se tut, cracha, avec cœur, dans le noir…

— Je t'aime ! affirma brusquement une voix, toute proche.

— Ça ne m'étonne pas ! fit Tulipe, modestement.

— Et j'voudrais que mon cœur te serve de paillasson ! reprit la même voix, avec feu.

— C'est pas de refus ! fit Tulipe, magnifique.

Il fit un pas encore et s'arrêta au seuil d'une

tombe. Au centre de celle-ci, sous un crâne à huile qui donnait une lueur changeante, tantôt jaune, tantôt verte, une blanche colombine se tenait gracieusement sur la pointe d'un pied. Elle levait l'autre en l'air, comme prête à quitter le sol, avec une aisance quasi aérienne et ses mains retroussaient légèrement, dans un geste mutin, le bout de sa jupe de tulle, si transparente et impalpable, qu'elle paraissait n'être faite que de brume et de rosée, ses doigts pâles et fins caressaient les fleurs aux teintes douces brodées sur sa jupe, comme pour les cueillir et les réunir en bouquet. Une couronne de violettes mauves était posée sur sa tête et dans son corsage, une rose baissait langoureusement la tête et faisait pleuvoir une à une [*sic*] ses pétales, comme des larmes de sang. Un charme vraiment miraculeux se dégageait de la colombine, elle paraissait être faite de cette même matière divine qui avait déjà servi à Beethoven pour « La sonate au clair de lune » et à Shakespeare, pour « Le songe d'une nuit d'été » — malheureusement, cette impression enchanteresse était très brutalement rompue par une grosse moustache rousse et inculte qui coulait de ses naseaux et par une trogne volumineuse ! une trogne pathétique ! une trogne arrogante ! une trogne cauchemardesque ! autour de laquelle des mites s'agitaient. Devant la colombine, un pierrot se tenait agenouillé et son souffle faisait frémir la petite jupe de tulle et les fleurs pâles, qu'il avait l'air de renifler.

— Je voudrais dire voui, mais je ne le puis ! roucoula la colombine, en se trémoussant.

— Dis voui ! tonitrua le pierrot en répandant à travers la tombe un fort relent de poubelle et de moisi, cependant que du fond de la nuit, un macchabée quelconque, en proie aux flics, répondait par un hurlement sinistre, auquel nul ne prêta attention. Dis voui !

La colombine ouvrit la bouche, tapa incontinent sur le museau du rat qui avait profité du mouvement pour jeter un coup d'œil dehors, sanglota éperdument, rota, par mégarde, fit un petit bond, lâcha un petit pet et piailla :

— J'dis voui et j'meurs !

Le pierrot se leva d'un saut, lança un long hennissement fou auquel le macchabée travaillé par les flics répondit par un autre hennissement, non moins fou, et se rua en avant. Là-dessus, le pierrot et la colombine s'embrassèrent, avec fracas, sur la bouche, crachèrent par terre, s'essuyèrent les lèvres du bras, se mouchèrent entre les doigts et dirent :

— Alors, monsieur le Préfet, ça peut aller ?

— Couac ! Pas mal !… couac !

Tulipe tourna la tête dans la direction de la voix et vit un personnage de petite taille, fort bien mis, assis sur un cercueil de chêne, richement sculpté. D'innombrables essaims de mites tournoyaient autour de son corps, l'isolant ainsi dans une sorte de nuage doré — il s'épuisait en efforts pour les chasser, agitait les bras, ruait des pieds, mais n'y arrivait pas. À tout moment, lorsqu'il ouvrait la bouche ou simplement lorsqu'il faisait un mouvement trop brusque, des couac ! couac ! couac ! véhéments se faisaient entendre, ce qui induisait à croire que quelques énergiques crapauds s'étaient commodément installés dans son ventre, qui n'aimaient pas être dérangés. Chaque fois qu'un de ces « couac ! » s'élevait, le personnage faisait l'étonné et donnait quelques coups secs sur le cercueil qui lui servait de siège, en disant « allons, allons » d'un air agacé ; il paraissait très sincèrement convaincu que les crapauds se nichaient dans le cercueil et qu'il était, quant à lui, entièrement étranger à tous ces bruits.

— Pas mal, couac ! affirma-t-il, avec une grimace condescendante. Un peu plus de sensibilité, peut-être... Quelques larmes, par-ci, par-là... Mais enfin, couac ! j'espère que cette petite soirée au profit des pauvres chères Âmes pécheresses, aura le plus grand succès, oui, couac ! le plus grand... couac ! couac ! couac ! Allons, allons ! allons !

Il donna quelques coups irrités au cercueil.

— Pardon, vieux...

Une main se posa lourdement sur son épaule et Tulipe bondit de côté : un flic, matraque en main, découcha du couloir et fit une entrée remarquée dans la tombe. Le seuil franchi, il se figea au garde-à-vous. Des halètements rauques ébranlaient sa poitrine. Sur une de ses joues, le sang coulait, mais il ne semblait pas s'en apercevoir.

— Couac ? fit le personnage miteux, d'un air interrogateur.

— Ben monsieur le Préfet, marmonna le flic, avec embarras. C'est pour le type qu'on fait avouer depuis la semaine dernière…

— Il nie ?

— Il avoue, monsieur le Préfet. Seulement…

— Couac ! s'étonna le personnage miteux. Seulement ?

— Seulement, malédiction sur sa tête ! beugla le flic. Qu'est-ce qu'il fallait lui faire avouer ?

— Couac ! couac ! couac ! fit le personnage miteux.

Et il ajouta aussitôt, en tapant sur le cercueil :

— Vous vous moquez de moi ? Puisque vous dites qu'il avoue !

— Ben oui, il avoue ! gémit le flic. Seulement, on est pas plus avancé pour ça ! Depuis huit jours qu'on lui tape dessus et qu'on lui entre dedans, on dit toujours : « Tu avoues, hein ? Tu avoues ? » Et lui, qui pisse le sang, il gueule et il râle : « Non, non ! J'avoue pas ! J'avoue rien ! Non, non ! » Alors, nous, on lui tape dessus et on lui entre dedans et on dit toujours : « Tu avoues, hein ? Tu avoues ? » « Non, qu'il dit, non ! J'avoue pas ! » Et alors, nous, on continue à lui taper dessus et à lui entrer dedans ! Seulement à présent il en a marre, le type, il aimerait mieux, le type, d'la bière… Alors, n'est-ce pas, il s'met à dire : « Oui, oui ! J'avoue ! J'avoue tout ce qu'on veut ! Seulement, bordel de Dieu, qu'est-ce qu'on veut ; hein ? »

— Couac, couac ! couac ! fit le personnage miteux.

Et il ajouta aussitôt, en tapant sur le cercueil :

— N'invoquez pas de la sorte le nom du Seigneur, vous faites peur à nos amis les crapauds ! Ainsi, vous battez cet individu depuis huit jours et vous ignorez encore de quoi il est accusé ?

— Ben, expliqua le flic, j'étais pas là lorsqu'on l'a amené. J'savais rien, j'faisais une belote, avec les copains. Et puis, le gardien, il m'appelle : « Va, qu'il me dit, fiston ! Ya d'la besogne ! » « Qu'est-ce que c'est ? » que j'demande. « Un type, qu'il me dit, qu'on a enterré ce matin et qui avoue rien et qui sait même pas de quoi il est mort ! Tape dessus ! Entre dedans ! » Alors, n'est-ce pas, j'y vais et j'trouve le type déjà très amoché, à demi crevé, le type, dans son coin. Alors, n'est-ce pas, j'le ramasse et bordel de Dieu ! j'enfonce et j'te tape d'ssus et j'te cogne et j'retourne les foies et j'tentre dedans et j'te dis toujours : « Tu avoues, hein, Toto ? Tu avoues ? » « Non ! qu'il fait, en crachant le sang, non ! J'avoue pas ! » Alors, n'est-ce pas, moi, j't'le cogne ! bordel de Dieu ! et j'te tape d'ssus ! bordel de Dieu ! et j'te...

— Couac ! couac ! couac ! fit le personnage miteux.

Et il ajouta aussitôt en tapant sur le cercueil :

— Inutile d'invoquer ainsi le nom du Seigneur ! Vous faites peur à nos chers amis les crapauds ! Couac ! Du moment qu'il avoue... Vous mettrez dans le rapport : « Avoue avoir tué la veuve et violé l'orphelin », vous lui faites signer ça et vous lui laissez la date en blanc. Retenu ?

— Retenu, monsieur le Préfet ! se réjouit le flic. J'reviens, n'est-ce pas et j't'le ramasse et j'te le retourne et j't'le renifle et j'te le mords et je tape d'ssus ! et j'entre dedans ! et bordel de Dieu de…

— Couac, couac, couac, fit sévèrement le personnage miteux.

Et il ajouta aussitôt en tapant sur le cercueil :

— Il suffit, mon ami : vous mettez inutilement en colère nos très chers amis les crapauds. Allez, retournez à votre tâche… À propos, vous avez du sang sur la joue !

— C'est pas du mien ! fit le flic avec simplicité et il s'en alla.

— Bon, dit le personnage miteux, en se tournant vers le pierrot et la colombine, et maintenant, couac ! revenons à des choses plus sérieuses. Allons, mes enfants, recommencez-moi cette scène… Et mettez-y du cœur, de l'émotion ! De la sensibilité, que diable ! Soyez donc un peu plus humains !

— Pardon, monsieur le Préfet ! fit en ce moment un flic en débouchant dans la tombe. La canaille de la fosse commune s'apprête encore à sortir et à parcourir les tombes en cortège… Écoutez-les !

— De l'air pour tous ! Nous réclamons le partage des tombes ! firent des voix lointaines du fond de la nuit.

— Que faire, monsieur le Préfet ? s'inquiéta le flic.

— Couac ! fit le personnage miteux, en levant un doigt. C'est pourtant simple ! Vous me prenez un de vos hommes, vous me l'habillez en canaille, vous me le collez dans le cortège et vous lui faites jeter une pierre, dans votre direction… Après quoi, vous entrez dans la canaille à coups de matraque, vous la mettez en pièces, en poudre, en miettes et vous balayez le tout aux quatre vents ! Et si le Seigneur vous dit quelque chose, vous lui répondrez : nous avons été attaqués. D'ailleurs le Seigneur ne dira rien. Couac ! couac ! couac !

Et il ajouta aussitôt, en tapant sur le cercueil :

— Retenu ?

— Retenu ! se réjouit le flic, en disparaissant.

— Bon ! dit le personnage miteux en se levant et en se tournant à nouveau vers le pierrot et la colombine. Allons, mes enfants, nous reprendrons nos répétitions une autre fois… La nuit s'épaissit, l'heure de la sortie approche. Je ne veux pas vous empêcher de vous préparer comme il convient à votre excursion dans le monde. Moi-même…

Il fouilla dans une poche, en sortit un petit paquet, qu'il ouvrit et se versa sur la tête et le corps un peu de poudre blanche… Une violente odeur de naphtaline se répandit dans la tombe et irrita le nez de Tulipe. L'essaim de mites tournoya un instant encore, puis s'envola, s'enfuit, poursuivi par l'odeur âcre et pénétrante…

— Couac ! couac ! fit le personnage miteux, avec satisfaction.

Il mit ensuite une paire de gants d'une blancheur irréprochable, ramassa sa canne et se dirigea vers la sortie, suivi par le pierrot et la colombine, qui se tenaient par la main. Ils s'engouffrèrent dans le couloir…

— Et pour terminer, entendit encore Tulipe, couac ! un bon conseil : si, dehors, vous craignez d'être reconnu, si vous désirez éviter les coups traîtres qui vous réduiraient en poussière, eh bien ! croyez-moi : du naturel ! de la sincérité ! comportez-vous comme si vous étiez toujours dans votre tombe et pas un vivant ne s'apercevra de la supercherie !

[*L'inauguration*]

La voix s'éloigna et se tut. La tombe, à présent était vide. Le crâne à l'huile jeta soudain une lueur inquiète et s'éteignit, dans un grésillement sec. Les ténèbres étouffèrent la dernière étincelle fugitive. Mais ils reculèrent, presqu'aussitôt et pâlirent : un flic passa, une lampe à la main…

— Pardon, m'sieur l'agent ! l'interpella Tulipe. La sortie, siouplaît ?

— La sortie ? fit le flic. La sortie ?

— C'est bien ça, confirma Tulipe. La sortie.

— Quelle sortie ? dit le flic. Quelle sortie ?

— La sortie du souterrain, expliqua Tulipe. La sortie du souterrain !

— La sortie du souterrain, répéta rêveusement le flic, la sortie du souterrain…

— La sortie, quoi ! hurla soudain Tulipe.

— Il n'y a pas de sortie, dit le flic, il n'y a pas de sortie…

— Il n'y a pas de sortie ? bégaya Tulipe, que la sueur froide couvrait. Comment ça : il n'y a pas de sortie ?

— On ne fait jamais que changer de tombe, dit le flic. Il n'y a pas de sortie…

Il s'en alla et les ténèbres revinrent. Tulipe essaya de le suivre, cria, courut, vint buter contre quelque chose…

— A… atchoum ! Nom de Dieu ! Pour l'amour du ciel, monsieur, ne me touchez pas !

Tulipe sauta en l'air, fit une pirouette et se trouva brusquement dans un halo de lumière verdâtre d'où un nuage de poussière montait.

— Ne bougez pas, monsieur ! Je vous en prie, je vous supplie, monsieur : évitez les gestes trop brusques !

— Soyez tranquille, m'sieur ! bégaya Tulipe épouvanté.

— A… atchoum ! A… atchoum ! A… appelez-moi : mon général !

— Soyez tranquille, mon général ! se reprit Tulipe, figé au garde-à-vous.

La poussière tomba, se dissipa et il en sortit un drôle de bonhomme. Il se tenait debout, en oblique, raide, comme un parapluie appuyé contre le mur. De son corps, on ne voyait guère que les contours, des boutons dorés et une petite épée ; Tulipe avait beau écarquiller les yeux, il ne parvenait pas à distinguer les traits du visage, brouillés et flous. On aurait dit que toute sa personne avait été soigneusement enduite d'une couche épaisse d'une substance poudreuse, roussâtre, dont il n'était pas facile de préciser la nature : ce pouvait bien être du sable, ou de la terre sèche, mais, d'après sa couleur vaguement brune et son odeur déplaisante, ce pouvait être également tout autre chose. L'étrange individu s'efforçait visiblement ne de pas bouger et réussissait même à garder une immobilité relative : le seul geste qu'il accomplissait, avec une lenteur et une prudence extraordinaires, était de porter la main à son visage et de se gratter doucement et comme à contrecœur, l'endroit où, normalement, il aurait dû avoir un nez.

— Monsieur, fit-il, d'une petite voix chevrotante. Je ne sais point qui vous êtes, ni ce qui me vaut l'honneur — très grand — de votre visite, mais permettez-moi de vous confier que vous avez devant vous la personnification même du malheur, monsieur... Atchoum ! éternua-t-il, avec violence.

Aussitôt, la poussière s'éleva, enveloppa tout son corps dans un nuage opaque et le déroba entièrement aux yeux de Tulipe.

— Mon Dieu ! Quelle misère ! Vous voyez, monsieur, ce qu'il m'advient ! Mon pauvre corps est si vieux, monsieur, si usé, qu'il suffit de la plus légère secousse pour le faire voler en poussière. Je ne me sauve, monsieur, que par l'immobilité ! Je ne puis durer qu'en m'abstenant de bouger ! Or, que croyez-vous qu'il m'arrive, monsieur ?

Tulipe se fit un devoir de branler la tête, de hausser les épaules et d'orner son visage de la plus parfaite expression d'ignorance dont il se sentait capable.

— J'attrape un rhume, monsieur ! J'attrape

un rhume ! Avez-vous déjà entendu une chose pareille, monsieur ? Avez-vous... a... a...

Il s'interrompit, se figea, se crispa tout entier.

— Atchoum ! éternua-t-il, avec désespoir, s'enveloppant des pieds à la tête dans son nuage poudreux. C'est plus fort que moi, monsieur ! Je suis incapable de résister ! Et croyez-vous que c'est tout, monsieur ? Croyez-vous que c'est tout ?

Tulipe hocha quelques fois la tête, avec un air de grave méditation.

— Eh bien non ! monsieur... Il n'en est rien ! Il ne me reste presque plus de nez, monsieur ! J'avais un beau nez grec, monsieur, fort, majestueux, bien assis. Eh bien, avec ce rhume, je ne peux pas m'empêcher de le gratter ! Je l'ai enlevé presque tout entier, monsieur ! En me le grattant, monsieur ! Ce qui me reste, c'est pas un nez, monsieur ! C'est un cornichon !

Il porta, lentement, la main à sa figure et se frotta le nez, à contrecœur.

— Vous voyez, monsieur : je ne peux m'empêcher ! Cela me démange, monsieur ! Cela me chatouille ! Et cela me gratouille ! Et... A... a... atchoum !

— Atchoum ! fit aussi Tulipe, que toute cette poussière avait fini par énerver.

— N'éternuez pas, monsieur ! Je vous en prie, je vous en supplie : abstenez-vous-en, monsieur ! Vous me soufflez dessus, vous me diminuez, monsieur ! vous prenez votre plaisir sur mon existence même : c'est comme si vous me mangiez, monsieur ! Ah, que mon nez me démange… ah ! ah ! qu'il me démange… Il me vient une idée, monsieur. Approchez-vous. Penchez-vous. Je vais gratter votre nez à la place du mien : comme cela, vous aurez le plaisir, monsieur, et moi, j'aurai l'illusion !

Docilement, Tulipe tendit son nez. Des doigts mous et fins en chatouillèrent délicieusement le bout…

— Atchoum ! fit-il puissamment, en plein sur le pauvre petit bonhomme.

La poussière s'en exhala aussitôt et monta, envahissante…

— Monsieur, vous êtes un misérable ! cria du nuage une voix aiguë. Non seulement vous venez m'exciter avec votre nez, mais encore, vous m'éternuez méchamment dessus, afin que je me volatilise ! Un misérable, monsieur, voilà tout ce que vous êtes !

Il sortit, tout penaud, de son inévitable nuage…

— Et mon rhume, ce n'est pas tout, monsieur… C'est beaucoup, certes, mais ce n'est pas tout ! Il y a, à l'autre bout du cimetière, deux méprisables péquins, deux êtres vulgaires et bas, deux ivrognes anglais sans foi ni scrupule… Imaginez-vous que chaque matin, ils viennent ici sous prétexte de me souhaiter le bonjour ! En réalité, c'est pour se distraire, monsieur, pour rire à mes dépens. « Hello, général ! dit Jim, comment ça va, aujourd'hui ? » Et il me donne une petite tape amicale sur l'épaule… Aussitôt, je diminue, monsieur, je m'épands en poussière ! « Quelle sacrée poussière, général ! dit alors Joe, quelle sacrée poussière ! Je crois, général, que je vais éternuer ! » « N'en faites rien ! » me mets-je à crier avec épouvante et je tremble, monsieur, et je diminue ! « J'essayerai, général, j'essayerai ! » dit-il, et au même moment, il éternue ! Je m'épands en poussière, monsieur, je diminue... Et alors, ils me proposent de jouer à main chaude et lorsque je refuse, savez-vous, monsieur, ce qu'ils font ?

D'un geste, Tulipe exprima son ignorance.

— Eh bien, ils me racontent des petites histoires juives ! Je ne sais pas du tout comment il en est de vous, monsieur, mais moi, je ne résiste guère à une petite histoire juive bien racontée... Je ris, monsieur, je ris ! Et quand je ris, je m'agite, monsieur, et je me répands en poussière, monsieur, et je me diminue ! Et alors, après une dernière tape affectueuse sur l'épaule, ils s'en vont, monsieur, contents de leur matinée et me promettant de revenir ! A... a...

— A... a... fit aussi Tulipe.

— A-tchoum ! firent-ils en chœur, puissamment.

— Hélas ! chevrota la voix du tourbillon poussiéreux, ce soir, monsieur, je me sens plus malheureux que de coutume... À deux pas de là, mon excellent ami le sous-préfet inaugure un magnifique monument... en l'honneur des gardiens de la paix des vivants ! Au nom des gardiens de la paix des morts ! Une très émouvante cérémonie. Une pieuse fête ! Je brûle d'y assister, monsieur ! De partager leur émotion ! De prononcer un discours… Je le médite, monsieur, depuis deux ans ! Mais il ne faut point y songer… le moindre pas me serait fatal ! Que dis-je, fatal ? Mortel, monsieur ! Mortel ! A… a…

— A… a… fit aussi Tulipe.

— Atchoum ! firent-ils en chœur et Tulipe, profondément écœure par la poussière tourbillonnante, marcha à reculons, pataugeant dans une eau bourbeuse, en hoquetant, en crachant et en se frottant vigoureusement les yeux… s'efforçant de respirer par la bouche, pour ne pas sentir les relents innombrables qui jaillirent soudain de la nuit, de partout à la fois, comme s'ils venaient à sa rencontre, envahissants, irrésistibles… on aurait dit que c'était la terre elle-même qui était pourrie, qui se décomposait rapidement, et criait ainsi sa mort… par tous ses pores…

— Une inauguration ! hoqueta Tulipe. On connaît ça ! Ma femme avait autrefois loué une chambre à un type qui a été inauguré. C'était pas pourtant un type remarquable… Sauf qu'il aimait pas les femmes ordinaires, en chair et en sang… bien nichonnées… chaudes… brûlantes… tonnerre de Dieu ! Lui… dégueulait rien qu'à les voir. « C'est mou ! qu'il disait ! Ça gigote ! Ça mouille ! Ça parle ! Ça salive ! Ça s'affaisse de partout ! Ça vous demande des trucs ! Beuh ! » Pour être heureux, il lui fallait une bonne victoire au Flambeau… une République, dans son lit… une Justice poursuivant le crime… quelque chose de pas ordinaire ! De symbolique ! Même qu'il avait fait des avances, une fois, au derrière de la jument de Ney… celle qui se trouve place de Berezina… six jours de prison, que ça lui avait coûté ! Eh bien, une fois, il se rendait justement à son bureau… et soudain qu'est-ce qu'il voit ? Un immense socle de pierre, recouvert d'un beau drap… bien blanc… comme pour une nuit de noces ! Il se rappelle alors… C'était une Pucelle d'Orléans boutant l'ennemi hors du territoire… un nouveau monument, qu'on dressait dans le quartier… pour l'édification des âmes… des cœurs… des consciences ! Voilà donc mon type qui perd complètement le Nord à l'idée de cette pucelle qui est là… toute fraîche… tout intacte, sous son drap… Il rougit… il bave… il chancelle… le coup de foudre ! Il se glisse sous la toile… ni vu ni connu ! Le président de la République s'était amené entre-temps, avec un chapeau claque et des ministres et puis moi aussi… J'aime, comme ça, de temps en temps, voir mon gouvernement ! Et alors, tout le monde s'est levé, on a hurlé, « Vive la République ! » et la musique s'est ruée sur la Marseillaise et on a tiré le drap et alors une voix a dit « Tiens ! tiens ! » et une autre a dit « Pas étonnant, qu'elle court après l'ennemi… On la pousse par derrière ! » Le président de la République a dit que c'était une chiennerie et une abomination et la musique continuait de jouer et des femmes s'évanouissaient et une femme a dit à son mari « C'est pas toi qui ferais ça à une femme de pierre ! » et le mari a répondu « Je fais que ça depuis vingt ans ! » et alors, la femme est tombée sur le mari, à bras raccourcis et il a fallu les séparer, cependant qu'un morveux demandait « C'est donc ça, une pucelle, papa ? » et que le papa lui donnait une bonne claque et que quelqu'un appelait les pompiers et que mon type, il demeurait, là-haut, bien en vue, se détachant sur le ciel bleu, serrant la pucelle dans ses bras et la poussant furieusement à petits coups de reins secs, brefs, de plus en plus rapides et ils ont tout juste eu le temps de jeter le voile dessus et lorsqu'on l'a retiré de là, il était déjà trop tard, le mal était fait et après, ils ont dû démolir la statue et mettre une autre pucelle à la place... une vraie ! Tiens !

Il s'arrêta, les mains dans les poches.

— Mais la voilà, l'inauguration !

Une fosse, bien spacieuse, bien éclairée, pleine jusqu'aux bords de gros flics en moustaches qui rampaient partout, grouillaient, comme une termitière, autour d'un monument de forme conique entièrement recouvert d'un drap. Dans un coin, un orchestre de cinq flics, aux cuivres étincelants, prêt à tout. Les parois de la fosse étaient ornées de drapeaux déployés, assez chiffonnés, il est vrai et tout couverts de chiures de flics, mais encore suffisamment tricolores. Entre deux gerbes de drapeaux, un superbe portrait du président de la République, en pied... malheureusement, les flics ne l'avaient pas épargné.

Tulipe en surprit même un, qui rampait sur le front du grand homme, d'un air indécis, cherchant sans doute une place propice : il s'était déjà déculotté. Tulipe le suivit un instant d'un regard bienveillant : finalement et après avoir beaucoup hésité, le flic s'est s'installé entre les yeux du président et se recueillit là. Entre le monument encore voilé et l'orchestre, se trouvait une estrade et du haut de cette estrade, un petit bonhomme chauve postillonnait sans arrêt, lisant d'une voix chevrotante le texte d'un discours qu'il tenait à la main.

— Recueillez-vous, mes amis ! L'instant est solennel ! Hic-hoc-ha-ha !

Il toussa, pourchassa tout un vol de papillons de nuit qui obstruait sa gorge.

— Car c'est bien pour la première fois dans l'histoire de l'humanité et de la civilisation, que nous autres, gardiens de la paix des morts, nous témoignons de notre gratitude et de notre respect à nos camarades, gardiens de la paix des vivants ! Hoc-hé-hé-hé-hé !

Il fut interrompu par les applaudissements unanimes de l'assistance, qui hurla longuement, donnant libre cours à sa joie. Puis il reprit :

— Mais avant d'inaugurer le monument superbe que voici… il me reste un pieux devoir à accomplir. Notre cher camarade Larose Achille, a été traîtreusement assailli et mis en pièces, par la populace enragée de la fosse commune. Cette mort sera vengée à son heure. En attendant, je tiens à décorer de mes mains les restes glorieux de notre cher camarade Larose, Achille… Hou-hou-hoc-hé-hum !

Et il se moucha bruyamment. Apparurent alors deux flics, en tenue de gala, qui se frayèrent un passage jusqu'à la tribune. L'assistance se découvrit. Les deux flics portaient sur un plateau les restes glorieux de leur camarade Larose Achille : un gros derrière, tout blanc, velu. Sur la fesse gauche, une main malveillante mais incontestablement habile avait tatoué, en grosses lettres bleues, un « mort aux vaches ! » vengeur. Le derrière avait encore la chair de poule. Le petit bonhomme chauve descendit de son estrade et au milieu de l'émotion générale, apposa un baiser sonore entre les deux joues. Il y colla ensuite la médaille du mérite flic : deux parapluies croisés, surmontés d'un chapeau melon, sur un fond d'azur. Le derrière fut emporté. On observa alors une minute de silence. Puis la musique exécuta une sonnerie. Le drap fut ensuite tiré du monument et une gentille petite pissotière apparut, verte et pimpante, aux yeux de l'assemblée. Elle se tenait là, fraîche, légère comme un oiseau à peine posé, qui déploie encore ses ailes, prêt à s'envoler. On applaudit à tout rompre, on cria « Vive monsieur le sous-préfet » et le plus ancien flic du cimetière s'approcha du petit monsieur chauve et parlant au nom de tout le peuple flic, il prononça un speech, un remerciement joliment tourné. Il termina et désignant l'édicule d'un geste plein de sens, il dit :

— À vous l'honneur, monsieur le sous-préfet !

— Je n'en ferai rien ! dit le sous-préfet. À vous, à vous, mon cher ami !

— Je vous en supplie, monsieur le sous-préfet ! dit le flic. De grâce ! À vous !

— Je suis vraiment très flatté ! dit le sous-préfet.

Il s'approcha de l'édicule et cependant que la musique lançait un « Aux armes, citoyens ! » particulièrement réussi, il se déboutonna… Un moment, on attendit. Puis la musique lança un nouvel « Aux armes citoyens ! » On attendit encore… Mais rien ne venait. Le sous-préfet parut surpris, se pencha, se fouilla, chercha…

— Nom de Dieu ! hurla-t-il, soudain en se redressant. Je l'ai oubliée dans mon pantalon de flanelle !

L'assistance fut consternée, mais quelques flics s'empressèrent aussitôt autour du petit monsieur chauve, lui offrant leur service :

— La mienne, monsieur le sous-préfet ! Essayez la mienne ! Elle vous ira comme un gant ! J'ai là juste ce qu'il vous faut !

— Prenez plutôt la mienne ! proposa aussi Tulipe. Un bon article, qui se fait de mieux, dans le genre… Excellent état ! Ma femme a toujours dit qu'elle n'a pas sa pareille au monde et Dieu sait si la sainte femme s'y connaît !

— Non ! pleurnichait le petit bonhomme chauve, les essayant toutes les unes après les autres. Vous êtes bien gentils, mais… vous n'avez pas la taille au-dessous ? Je n'ai jamais été bien vigoureux, mes amis et…

Mais il fut interrompu. Une mégère apparut et se fraya un chemin jusqu'à l'édicule à travers l'assistance, qu'elle rejetait, comme un bélier.

— Fernand, Fernand ! hurla-t-elle, en brandissant un objet bizarre, ratatiné, quelque chose comme une limace morte. Tu l'as oubliée, tu l'as encore oubliée, Fernand ! Je l'ai retrouvée en me lavant !

— Vive la République ! brailla Tulipe.

— Vive Madame la sous-préfette ! brailla l'assemblée.

Le sous-préfet saisit l'objet au vol, se l'ajusta promptement... Un silence pieux régna. Puis la musique attaqua la Marseillaise, puis...

— Tonnerre de Dieu ! hurla le sous-préfet, en levant les bras au ciel. Je suis cocu ! C'est pas la mienne !

— La barbe, citoyens ! tonna soudain la voix de basse, que Tulipe reconnut aussitôt et qui fit trembler la fosse de fond en comble, cependant que les flics épouvantés filaient partout comme des cafards et que la mégère s'enfuyait à toutes jambes, en retroussant ses jupes, poursuivie par son époux trahi. La barbe, enfin ! Tu n'arrives plus à pisser ? Tu n'arrives plus à inaugurer cette pissotière de malheur ? Que je sois damné si je ne l'inaugure pas à ta place... et malgré ma prostate, encore ! Tiens !

— Sauve qui peut ! glapit Tulipe.

D'effroyables torrents d'urine s'élancèrent de partout en mugissant dans la fosse, emportant, balayant tout ce qu'ils rencontraient sur leur chemin, la plongeant d'un seul coup dans une puanteur épouvantable, cependant que des éclairs sillonnaient l'air et que le tonnerre grondait, mugissait, vagissait, comme un troupeau de cent mille vaches saoules mettant bas des veaux enragés. Les flics se noyaient sans bruit dans l'urine, sans insister, comme s'ils avaient enfin compris qu'ils étaient tous faits pour ça, un squelette épouvanté, qui s'était endormi dans un coin se réveilla, le derrière en l'air et se mit à nager un crawl vigoureux vers la sortie, la pissotière se sépara du sol et flotta, ici et là, suivie de près par le portrait du président de la République, que les urines avaient séparé du cadre et auquel quelques malheureux flics s'accrochaient…

— Tiens ! tiens ! tonnait la voix. Tu l'as voulu, tu l'as eu, c'est donc que ça t'a plu, c'est naturel en somme… Chiennerie et abomination ! Ils me dégoûtent ! Ils me dégoûtent ! Encore un peu et je me mets à dégueuler !

— Vieille queue de vache ! hurla Tulipe, en buvant un bon coup.

Les éclairs continuaient à jaillir, le tonnerre à gronder, les urines à couler, les flics à se noyer, la pissotière à flotter, le squelette à nager… Quelques pierres churent avec un bruit flasque, dans les torrents de liquide jaune…

— J'ai des pierres ! J'suis vieux ! J'ai mal ! J'me dégoûte !

Une odeur pestilentielle, affreusement acide, emplissait les narines de Tulipe, le faisait gémir, tousser… Il était arrivé à la sortie, pataugeant jusqu'au cou dans les flots irrités… Un macchabée passa devant lui, à toute vitesse, confortablement installé dans son cercueil… Il ramait puissamment… Dans un très joli style… Au même moment, les éclairs s'éteignirent, les grondements se turent, l'averse cessa… Tulipe s'arrêta… se retourna… La terre buvait rapidement la divine liqueur… Avec bruit… goulûment… Elle jouissait visiblement, la terre… Cela faisait « glou-glou-glou » partout… Comme si elle se rinçait la gorge… Délicieusement… Avant d'avaler… Bientôt, seules, quelques flaques… l'odeur affreuse… la pissotière échouée dans un coin… et quelques flics malheureux, qui rampaient, comme des mouches mouillées, comme des vers… témoignaient du déluge.

— Ma femme avait autrefois loué une chambre à un type à qui ça arrivait souvent ! grinça Tulipe, en regardant en l'air, d'un œil provocant. Surtout, la nuit… Seulement, lui, au moins, il soignait ça à l'hôpital ! Et il faisait pas ça sur la tête des gens !

— Ta gueule ! gronda amicalement la voix de basse lointaine. Ou j'recommence !

— Bon, bon, j'ai rien dit ! grogna Tulipe, tout en se replongeant prudemment dans les ténèbres épaisses. Heureusement pour lui que ma femme est pas là… Elle se serait pas gênée pour lui dire ses vérités !

Il avançait, les bras en croix, titubant et grognant… L'odeur pestilentielle le suivait. Elle le précédait aussi, venait à sa rencontre. Vraiment, c'était comme si la nuit elle-même était pourrie, comme si elle se décomposait lentement… Comme si elle hurlait ainsi sa mort… par tous ses pores.

— Pierrot ! râla soudain une voix à ce point proche, que Tulipe fit un bond en arrière, comme s'il s'était brûlé aux ténèbres.

— Chut ! murmura une deuxième voix.

— Chut ! reprit une troisième.

À tâtons, Tulipe cherchait son chemin… Il avait perdu le couloir… Il n'en sentait pas la paroi froide… humide et ruisselante… Égaré, les bras tendus, il cherchait une issue… ne la trouvait pas… titubait… tournait en rond…

— Pierrot ! râla encore la voix.

— Ça la hante… murmura fiévreusement la deuxième voix, c'était bien la peine de mourir… Pierrot… Il a été mis en pièces… à la guerre… avec le mien… Un brave petit que c'était… comme le mien… Oui, oui… On nous les a tués à la guerre… On se crevait toutes les deux, au travail… pour leur envoyer quelque chose… tous les mois… là-bas… au front… Et alors, un jour, on a reçu une lettre : « Je suis leur copain. Ils sont morts hier, à l'aube. D'un seul coup, tous les deux. C'était une fameuse aube. Comme chez nous, à Pierrache. Avec du jaune, du rouge, du violet. Il y avait une attaque, on est sorti des tranchées, ils ont été tués. Tous les deux. D'un seul coup. Vous savez qu'est-ce que c'est une attaque ? C'est quand on sort des tranchées en hurlant pour être tué. Alors, je vous écris, parce que j'étais leur copain. On les aime bien, nos vieilles, qu'ils me disaient. Alors, je vous écris, mais j'ai jamais eu de vieille, moi. C'est une grenade qui leur est entrée dedans. En plein dedans. J'ai vu : j'étais derrière eux. Ils étaient devant moi. Et puis ça a éclaté et ils ont plus été devant moi. Il y avait un trou, mais ils étaient pas dedans, j'ai regardé. J'ai vu le type qui leur a jeté ça. C'était un petit blond. Je l'ai attrapé. Je l'ai cueilli avec ma baïonnette. Je lui ai enfoncé bien profond ma baïonnette dans les tripes. Il m'a regardé, tout étonné. Puis il a gigoté, un peu, au bout. Puis il a dit, comme ça : ma... ma... Et puis il a plus rien dit du tout, il était mort. Ça m'a soulagé, pour sûr que ça vous soulagera aussi : je lui ai enfoncé ma baïonnette dans les tripes, il m'a regardé, bien étonné, il a dit : ma... ma... il a gigoté, un peu et puis il était mort. C'était un petit blond. C'est curieux, cette idée qu'ils ont de dire tous maman avant de crever. J'ai jamais eu de mère moi. J'ai toujours gardé les vaches mais je dirai moi aussi maman avant de crever. Ça se peut que ça soulage. On sait jamais. Je suis de Pierrache. c'est dans le midi, il y a une jolie rivière qui s'appelle la Briette. J'ai gardé cet argent que vous leur avez envoyé : c'est juste ce qu'ils me devaient, ça tombe bien. Une fameuse aube... »

[*Madame Ange*]

Tulipe cherchait toujours une issue… de tout ce noir… de cette voix… rien, il ne trouvait rien. Sa main labourait le vide.

— Avec tout l'respect que j'vous dois…

Une voix d'homme, bien polie. Elle jaillit si près de Tulipe, que celui-ci recula, effrayé. Dans ce mouvement, sa main saisit quelque chose de dur et de crochu.

— Heu ?… Avec tout l'respect que j'vous dois… Heu ! C'est pas chez vous, des fois, que ça puerait comme ça ?

Tulipe continuait à tâter l'objet crochu, se demandant avec une vive curiosité que diable cela pouvait-il bien être ? Il aurait juré n'avoir jamais tenu rien de tel dans sa main. Pas tout à fait dur… pas tout à fait mou… assez chaud… hum ! hum !

— C'est pas ici ! grincèrent les ténèbres. Ici, il n'y a qu'une pauvre femme en train de tomber en pourriture…

— Heu ! fit avec gêne la voix d'homme. Avec

tout l'respect que j'vous dois… J'voudrais bien m'en aller !

— Eh bien ! s'indignèrent les ténèbres. On vous retient pas, nous autres ! Qu'est-ce que vous attendez pour filer ?

— Avec tout l'respect que j'vous dois ! hurla l'homme. J'attends, siouplaît, que vous me lâchiez ma braguette ! Heu ?

Tulipe lâcha précipitamment l'objet crochu et se mit à reculer, en maugréant. Il vint buter contre une pierre et s'arrêta, en se frottant la main contre la hanche.

— Heu ! heu ! fit encore l'homme, avec beaucoup de dignité. Si j'avais su qu'il y avait des dames, ici, j'serais pas venu à poil ! Parfaitement, heu ! J'aurais mis un pantalon !

— Si c'est pas malheureux ! grincèrent les ténèbres. Des plaisanteries pareilles, au chevet d'une pauvre femme qui s'en va en pourriture !

— Pour sûr ! se lamenta comme un écho l'autre voix de femme, aiguë. Pour sûr que c'est malheureux, Mme Ange !

— Pierrot… râlait toujours la première voix. Pierrot…

— Excusez-moi, Mme Ange ! traînailla soudain une voix éraillée. Je suis Noémie… Noémie, vous savez… votre nouvelle voisine…

— Noémie-la-putain ? interrogèrent les ténèbres, avec sévérité.

— [[1]Noémie-la-putain ! reconnut humble-

1. Début de l'épisode de la puanteur, trame originelle du

ment la voix. Excusez-moi, si j'vous dérange… J'sais bien que cette pauvre Mme Marie, elle est en train de pourrir… et que c'est pas l'moment d'venir vous embêter… Seulement, j'ai justement un client qui rouspète. « J'peux pas faire l'amour, qu'il dit, avec cette puanteur ! J'peux pas ! qu'il dit. Ça me trouble ! qu'il dit. Ça me rappelle, qu'il dit, que j'ai une femme et des gosses ! »

— Alors ?

— Alors, j'viens voir si c'est pas cette pauvre chère Mme Marie, qui pue comme ça…

— C'est pas elle… Allez-vous-en…

— Vous êtes bien sûre ? insista la voix. Faut m'excuser si j'm'obstine, mais j'ai un client qui rouspète. « J'peux pas faire l'amour, qu'il dit, avec cette puanteur. Ça me trouble ! qu'il dit. Ça me rappelle, qu'il dit, que j'ai une femme et des gosses ! »

— Elle en a encore pour trois nuits au moins avant d'puer comme ça…

— La malheureuse ! Il dit : « Ça me rappelle que j'ai une femme et des gosses ! »

— Bonne nuit, Mme Ange !

— Bonne nuit, Mlle Noémie !

— Pierrot… râlait toujours la voix. Pierrot…

Tulipe avançait, les mains tendues, les yeux larges ouverts, comme s'il pouvait voir…

« trou juif » de Madame Rosa dans *La Vie devant soi, op. cit.* (p. 273).

— Pierrot… Pierrot…

— Vierge Marie, toi qui fus une mère, protège et sauve mon âme d'malheureuse… Aïe ! Pourquoi que vous me fourrez la main entre les cuisses, Juliette ?

— Moi, Mme Ange, moi ? Mais j'ai pas bougé d'ici… Aïe !

— Mon Dieu ! Pourquoi hurlez-vous comme ça, Juliette ?

— Qu'est-ce… qu'est-ce que j'ai senti Mme Ange ? Que m'avez-vous mis dans la main ?

— Moi, Juliette, moi ? Que j'pète sur place si j'vous ai touchée ! Qu'est-ce que c'était ?

— J'sais pas au juste, Mme Ange ! Quelque chose de dur, de brûlant et de frémissant ! De dur… de brûlant… et de frémissant, oui, Mme Ange !

— Hum… hum…

— Pierrot… Pierrot…

— Aïe !

— Pourquoi que vous hurlez comme ça, Mme Ange ? Vous me faites peur !

— Vous aviez raison, Juliette. Je l'ai senti, moi aussi. Je l'ai reçu en pleine figure… c'était quelque chose de dur, de brûlant et de frémissant !

— De dur, de brûlant et de frémissant, c'est ça… qu'est-ce que ça peut bien être Mme Ange ?

— Rien de bon, Juliette, rien de bon…

— Pierrot… Pierrot…

Le silence se fit. Un enfant cria quelque part, au fond de la nuit. Les bras tendus, hilare,

Tulipe titubait à l'aventure… Ses mains sentirent soudain un contact… du bois… ses doigts tâtonnaient… un corps… un corps de femme… son index rencontra le nombril… s'y attarda…

— Hé ! hé ! hé ! pouffa-t-il.

— Qui est là ?

Un craquement…

— Elle souffre encore… Vous entendez Juliette ? Elle remue… elle se débat…

Les craquements s'amplifiaient, s'accéléraient, de plus en plus bruyants…

— Vous l'entendez, qui se débat, Juliette ?

— J'l'entends, j'l'entends, Mme Ange !

À présent, en plus des craquements, on percevait aussi un souffle rauque, saccadé…

— Elle râle… C'est le dernier spasme, Juliette !

— Le dernier spasme, oui, Mme Ange !

Dans les ténèbres, le cercueil craquait comme un beau diable et le souffle s'accélérait aussi, comme s'il courait après les craquements…

— Comme sa voix a changé, Juliette ! Si j'savais pas que c'est elle, j'jurerais qu'il y a un homme dans son cercueil ! Vous l'entendez, Juliette ?

— J'l'entends, j'l'entends, Mme Ange ! Jamais j'aurais cru qu'une voix pouvait changer comme ça !

Des ténèbres s'élevait maintenant un seul craquement continu et puissant et un seul souffle rauque, continu, aussi et haletant.

— Vous l'entendez, qui se débat, Juliette ?

Vous l'entendez qui halète et qui lutte contre son mal ?

— Pour sûr, que j'l'entends, Mme Ange, faudrait être sourde, pour pas l'entendre ! Même qu'on dirait que le mal, il s'est couché dessus et qu'il lui rentre dedans, à tout casser[1] !]

Le cercueil lui-même sautillait à présent et dansait, en craquant rageusement, une sorte de gigue endiablée dans les ténèbres, tel un ogre fougueux qui cherche à désarçonner son cavalier.

— Vous l'entendez, Juliette, qui se roule dans les affres de la suprême agonie ? Vous l'entendez, Juliette, qui lutte contre la pourriture de son corps ?

— J'l'entends, j'l'entends, Mme Ange ! Et comme sa voix a changé subitement... On dirait tout à fait une voix d'homme. Et on dirait tout à fait que la pourriture, elle s'est couchée d'ssus et qu'elle lui rentre dedans, à tout casser !

— Seigneur Dieu ! Veille sur son âme d'malheureuse !

— A... amen !

— Protège son âme d'malheureuse !

— A... men !

— D'malheureuse !

— A... atchoum !

— Vous n'avez pas honte, Juliette ? Vous n'avez pas honte, petite peste, d'éternuer sottement à un pareil moment ?

1. Fin du passage repris dans *La Vie devant soi, op. cit.*

— Faut m'excuser, Mme Ange... c'est cette puanteur ! Ça m'chatouille l'nez, j'pouvais plus m'empêcher !

— Seigneur Dieu tout-puissant ! Veille sur son âme d'malheureuse !

— A... men !

— Protège son âme d'malheureuse !

— A... men !

— D'malheureuse !

— A... a... a...

— Juliette !

— Atchoum !! faut m'excuser, Mme Ange ! J'vous jure que j'peux pas m'empêcher !

Les craquements s'espaçaient, se calmaient. La voix haleta quelques secondes encore. Puis le silence se fit.

— C'est fini ! Il reste plus rien d'elle ! Elle est plus que poussière ! Son âme vient d's'plonger dans d'infinis délices !

— D'infini... i... i... i... délices !

Les bras tendus, tout haletant encore, Tulipe tituba au hasard, un sourire gluant écrasé sur les lèvres, il se trouva soudain nez à nez avec une petite vieille en peignoir mauve et papillotes, qui tendait dans la direction de sa bouche une longue bougie gouttante et recroquevillée... comme pour l'inviter à y goûter.

— Pardon, monsieur, fit-elle, d'une voix chevrotante, serait-ce vous, par hasard, qui pueriez ainsi ?

Tulipe tenta de la saluer avec tout le respect dû à son âge et à son sexe mais son nez entra malencontreusement en contact avec la bougie et il se redressa au plus vite, en poussant un beuglement épouvanté…

— Oh ! chevrota la petite vieille, en tremblant de toutes ses papillotes, d'un air navré. Oh, monsieur, je vous ai fait mal ! Veuillez m'excuser, je vous prie : je suis un peu myope !

— De rien ! fit galamment Tulipe, en se frottant le nez. Absolument de rien !

— Ainsi, chevrota la petite vieille, ce n'est pas vous ?

— J'suis navré, vraiment ! fit Tulipe, très homme du monde. Ce serait avec plaisir… mais c'est pas moi !

— Alors, chevrota la petite vieille, je vais m'en aller. Oui, je vais voir ailleurs. Au plaisir, monsieur !

— Je vous salue très profondément, madame ! bégaya Tulipe, en s'inclinant.

Il perdit l'équilibre, hurla, courut, dans un grand clapotement d'eau sous ses pieds et les protestations énergiques des crapauds et s'arrêta, complètement ahuri, dans un rond de lumière jaune. La puanteur abominable le fit tousser, à rendre l'âme… Il aperçut un flic qui le regardait, une bougie à la main…

— Beuh ! hoqueta Tulipe.

— T'es saoul ! constata le flic, avec envie.

— Beuh ! avoua tout Tulipe.

— C'est d'la gnôle ! dit le flic, en reniflant. D'la gnôle, à dix sous le litre… Sacré cochon, va !

— Beuh ! fit modestement Tulipe.

Un enfant cria, quelque part. Une plainte rauque, brève, cinglante, comme un juron. Elle paraissait jaillir de la terre, venant de partout à la fois, proche et lointaine. On aurait dit que c'était la nuit elle-même qui avait crié comme ça, de cette voix de gosse.

— C'est peut-être chez lui ? lui dit le flic, avec espoir. C'est peut-être chez lui, que ça pue comme ça ? Qu'est-ce que tu en penses, espèce de porc ?

— Beuh ! fit dubitativement Tulipe.

[*La tignasse fauve*]

Le rond jaune de la bougie se déplaça, rampa sur une porte... Ce n'était pas une porte ordinaire, une porte comme une autre, mais une porte décédée, dûment enterrée, un cadavre de porte. Elle fermait l'entrée d'une tombe : elle servait ainsi encore, à titre posthume. Couverte de fissures où des cafards grouillaient, elle s'efforçait cependant de garder un air digne... austère... irréprochable... cela lui réussissait assez mal. D'autant plus que de sa servitude passée, elle avait gardé un « WC » fort peu reluisant... une sorte d'aveu pathétique et honteux. Le flic s'approcha de la porte, frappa... Pas de réponse. Il frappa encore ! Enfin, un bruit de pas, traînant, lourd... La porte s'ouvrit. Au-dessus de la flamme immobile d'une bougie, un visage d'homme, tout en rides...

— Qu'est-ce qu'il y a ?

Le flic se taisait, remuant agressivement ses moustaches de rat.

— Beuh ! hoqueta Tulipe.

Au-dessus de la flamme immobile, le visage

bougea… les rides, toutes les rides, celles des joues et celles du front grouillèrent, rapidement.

— Je sais, je sais…

Une voix précipitée, rauque.

— Vous venez pour le gosse. Vous venez me dire qu'il crie. Vous pensez peut-être que je ne le sais pas ? Ou que cela me fait plaisir, de l'entendre crier et crier ? Que voulez-vous que je fasse ? Je ne peux plus l'étrangler… alors ? Ma femme était malade. Il y avait du pus dans son lait. L'enfant criait, criait, parce qu'il le buvait, ce pus. C'est le médecin qui me l'a dit. Le propriétaire l'avait fait venir. À ses frais : il espérait qu'on allait emmener la mère et le gosse à l'hôpital. L'enfant criait parce que ma femme avait du pus dans son lait. C'est le médecin qui me l'a dit. Oui, le médecin. Seulement, il était déjà trop tard. L'enfant avait déjà les intestins pourris. Oui, pourris : avec le lait de sa mère. C'est drôle, hein ? Avec le lait de sa mère. Avec le pus de sa mère. Il criait. Il criait. J'ai pris une corde. J'ai fait un nœud. Je suis monté sur une chaise. J'ai passé ma tête dans le nœud… Pour ne plus entendre l'enfant crier. À présent je suis ici. Mais vous entendez, n'est-ce pas…

Il leva le bras… Le cri jaillit de la nuit, cinglant, bref, injurieux.

— L'enfant crie tout de même.

— Attendez voir ! hurla le flic, d'un air inspiré. J'ai une idée ! Vous êtes sûr que l'gosse faisait que crier ? Vous êtes sûr qu'il puait pas, un brin, par-dessus l'marché ? Avec tout ce pus qu'il avait dans l'ventre ? Vous êtes sûr, hein ? Vous êtes sûr ?

L'homme ne répondit rien. Dans l'embrasure de la porte, son visage demeura, les rides demeurèrent, au-dessus de la lueur jaune et immobile.

— Qu'est-ce que tu as à m'regarder comme ça ? hurla le flic. Qu'est-ce qui te prend, hein ?

La porte se referma, d'un coup, avec fracas. À la place du visage ridé, il n'y avait plus maintenant que le « WC » éclatant de blancheur… étonnamment neuf.

— Tonnerre de Dieu ! dit le flic.

Il cracha avec pénétration sur la tête d'un crapaud qui roupillait sur une pierre et s'en alla, dans un clapotement monotone, traînant après lui son ombre immense et tremblotante. Haletant dans la puanteur pesante, Tulipe voulut le suivre, mais s'égara immédiatement et se trouva à l'improviste et à sa très grande surprise devant une superbe tignasse fauve, assise derrière un comptoir, cul-de-jatte, comme toutes les caissières et qui le regardait fixement, par-dessus la flamme d'une bougie.

— Bonsoir, Madame ! bégaya Tulipe, en vomissant une fois ou deux et en titubant autour d'elle, galamment.

La tignasse fauve devint affreusement triste et dit, en réprimant un sanglot.

— Bonsoir, monsieur !

Et elle soupira. Tulipe soupira également, par pure politesse. Il regarda autour de lui, mais ne vit aucun détail susceptible de le renseigner sur l'endroit : la bougie ne donnait pas assez de lumière et seuls quelques cercueils délabrés sortaient de l'ombre. Du côté de ces cercueils, de puissants ronflements s'élevaient. Tulipe sortit de sa poche un superbe mouchoir à carreaux et s'en épongea le front, titubant toujours, élégamment, de-ci, de-là.

— La mort, observa la tignasse fauve, frappe surtout les innocents.

— Très juste ! approuva Tulipe, titubant toujours.

— Les renseignements sont gratuits, murmura d'une voix engageante la tignasse fauve. Vous êtes de la fosse commune, n'est-ce pas ? Un nouveau venu, sans doute ?

— Exactement ! affirma Tulipe, en titubant de plus en plus. Oui. Un nouveau venu !

— Hélas ! fit la tignasse fauve, en levant les yeux au ciel.

— Hélas ! répéta aussi Tulipe, en l'imitant et en pleurant doucement.

Là-dessus, la tignasse fauve parut encore plus navrée et abattue, mais ce n'était là qu'une simple illusion, car, en réalité, il était impossible à un visage humain d'exprimer plus de tristesse et de désolation.

— C'est affreux ! gémit-elle. Tout simplement affreux !

— Oui, dit Tulipe. Tout simplement…

Et il ajouta, après une pause :

— A-ffreux !

La tignasse fauve soupira et Tulipe tituba gentiment autour d'elle, pour la consoler.

— La typhoïde, n'est-ce pas ? murmura-t-elle ensuite.

— Très juste ! affirma joyeusement Tulipe. La typhoïde !

Il aurait opté avec autant de joie pour le choléra et titubait de plus belle, avec grâce et mondanité.

— Et ils vous ont jeté dans la fosse ? sans cercueil, comme ça. Nu, comme...

Elle parut chercher une comparaison.

— Comme un ver ? proposa Tulipe, classique.

La tignasse fauve parut vouloir trouver quelque chose de plus original.

— Nu comme ça ? proposa alors Tulipe en se déboutonnant et en lui mettant sa braguette sous le nez.

— Oui ! oui ! oui ! se réjouit la tignasse fauve, en la reniflant. Nu comme ça ! Et vous êtes mort hier ? Ou peut-être... peut-être ce matin ?

— Le fait est, bégaya stupidement Tulipe, que je ne suis pas... hem ! que je ne suis pas encore tout à fait mort !

Du coup, la tignasse fauve exprima une telle suspicion et une telle désapprobation, que Tulipe se boutonna précipitamment et battit en retraite.

— Mais j'agonise ! s'empressa-t-il de la rassurer. Je suis au plus mal !

— Nous avons le plus grand choix de cercueils ! dit alors la tignasse fauve, d'un air engageant.

Tulipe tituba, avec étonnement, puis éclata d'un rire idiot et se penchant par-dessus la bougie, il murmura :

— C'est-y que j'te plais point ?

La tignasse fauve s'agita sur son siège et devint très réservée et très malveillante.

— Qu'est-ce à dire ? s'inquiéta-t-elle. Si c'est pour obtenir une réduction…

— Je suis un de vos admirateurs ! ronronna Tulipe, en titubant avec toute la grâce dont il se sentait capable. Un de vos admirateurs a- ardents !

— Et la maison ne fait pas de crédit !

Tulipe, brusquement, la saisit par les cheveux, les porta à ses lèvres et essaya, fiévreusement, d'y égarer un baiser.

— Oh, ne vous défendez pas ! bêla-t-il. Je suis un de vos a… a… admirateurs !

— Bon ! cria soudain la tignasse fauve, en s'arrachant de ses mains. Bon ! Je vous reconnais ! Vous êtes ce bonhomme infect…

— Beuh ? s'étonna sincèrement Tulipe.

— Ce bonhomme infect qui m'a envoyé les flics, l'autre matin ! Je vous préviens, mon beau monsieur, que toute votre police ne sert à rien. Vous pouvez également ameuter les pompiers, si cela vous chante et le roi d'Angleterre…

— Le roi d'A… A… Angleterre ? se lamenta Tulipe. Pourquoi fai… ai… aire, mon Dieu, le roi d'A… A… Angleterre ? Tiens, ça rime ! se réjouit-il.

— Ils ne m'mpêcheront pas, je vous l'affirme, de prendre chaque matin un bain d'air en me promenant toute nue dans le couloir ! Ni eux, ni vous, ni les cinquante autres vilains petits bonshommes qui mettent le nez et le reste hors de leurs tombes et qui me font des obscénités !

— Mais… balbutia Tulipe, en titubant tristement. Mais…

— Il suffit. Eustache ! Eustache !

Un cercueil s'ouvrit, quelque part, avec fracas et un personnage maigre apparut, en redingote, tout noir, un personnage comme on en voit tant, dans tous les cortèges funèbres de tous les pays civilisés, depuis qu'il y a des cortèges funèbres, c'est-à-dire, depuis qu'il y a des pays civilisés. Il tenait dans la main une couronne mortuaire et de l'autre, s'efforçait de crever une grosse pustule purulente qui s'étalait sur le bout de son nez flasque, mince et qui pendait de côté.

— Tu m'as appelé, mignonne ?

— Oui, Eustache, oui, dit solennellement la tignasse fauve. Je t'ai appelé. Je suppose que tu vois cet individu, Eustache ?

Tout en tiraillant sa pustule avec un air malheureux, Eustache parcourut l'individu en question d'un regard professionnel.

— Un mètre soixante-dix, remarqua-t-il. C'est pour un cercueil ?

— C'est peut-être pour un cercueil, Eustache, mais je crois que c'est plutôt pout tout autre chose ! Cet individu, Eustache, se déclare choqué de me voir nue, tous les matins !

— Mais, tenta d'intervenir Tulipe, mais…

Eustache le regarda avec reproche, tout en peinant sur son bouton.

— Nous venons tous nus en ce monde, dit-il, avec profondeur. Conséquemment, nous pouvons nous y promener nus… Aïe !

Il gémit et se mit à sautiller fébrilement sur une jambe : sa pustule venait de crever.

— Va te mettre de la teinture d'iode sur le nez, Eustache, dit sévèrement la tignasse fauve. Je suis heureuse que ce bouton soit parti.

— Moi aussi, mignonne… Tu as vu. Il y avait un flic dedans !

Il disparut, se fondit dans l'ombre.

— Écoutez ! supplia Tulipe. C'est pas moi ! J'le jure ! Moi… j'vous ai… aime !

— Comment, comment ça, vous m'aimez ? clama la tignasse fauve, avec épouvante.

— Comme ça ! brailla Tulipe, d'une voix hystérique, en baisant, avec bruit, le creux de sa main. Parole d'honneur !

— Mais vous n'êtes même pas mort ?

— J'suis mort… non, j'suis pas mort ! Merde ! Mais ça fait rien ! J'va mourir ! J'va m'tuer, nom de Dieu ! vociféra-t-il, tout à coup. Et plus vite que ça.

La tignasse fauve s'agita convulsivement sur son siège.

— Eustache ! Eustache !

Eustache réapparut, se détachant de l'ombre, un mouchoir collé au nez, tout en larmes.

— J'ai mis de la teinture d'iode, mignonne ! pleurnicha-t-il. Ça brûle, mignonne ! Ça brûle !

— Eustache ! cria la tignasse fauve, avec véhémence. Cet individu vient de me faire une déclaration !

— Non ? s'étonna sincèrement Eustache.

— Si. Il m'aime !

Eustache, par-dessus le mouchoir, jeta à Tulipe un regard intéressé.

— Je t'aime bien, mignonne, moi aussi ! affirma-t-il.

— Mais il veut se tuer pour mieux s'unir à moi ! s'emporta la tignasse, en pétillant d'émotion. Car il n'est pas encore mort !

— Quelles dimensions ? demanda rapidement Eustache, en tirant, avec une adresse étonnante, un mètre pliant de sa poche.

— Beuh ? bredouilla Tulipe.

— Je veux dire : quelle taille ?

— Un mètre soixante et onze ! clama Tulipe, affolé.

— Chêne ?

— Chêne ! hurla Tulipe.

— Dorures ?

— Dorures !

— Date ? Adresse ? Nom ?

— Demain ! deuxième tombe à gauche ! Tulipe !

— Deuxième à gauche ! Tulipe ! Demain ! Trois cents ! Ça colle ?

— Ça colle !

— Adieu !

— Adieu !

Tulipe tourna sur lui-même et plongea dans les ténèbres. Il tituba, vint donner du nez dans quelque chose de dur, qui ne dit rien et aussitôt après, contre quelque chose de mou, qui poussa un faible cri…

[*Le Christ, l'enfant et l'allumette*]

— Qui est là ? s'égosilla Tulipe, très effrayé. haut les mains ou j'tire !

Il frotta une allumette : la flamme tremblante dressa l'oreille, au bout de son bras.

[[1]C'était un enfant.

Il était pieds nus et portait une chemise trop grande pour sa taille : il avait l'air de s'y noyer.

Ses yeux, dont on ne voyait que l'éclat, fixaient la flamme minuscule de l'allumette.

Un grand crucifix noir pesait sur sa poitrine : sur le crucifix, le Christ levait les yeux et regardait, lui aussi, avec intérêt, la lueur frétillante.

— Crois-tu qu'elle va lui brûler les doigts ? dit l'enfant.

— Non, dit le Christ, sans quitter la lueur des yeux. Non. J'crois pas.

— Alors, tu penses qu'elle va s'éteindre avant ? s'enquit l'enfant.

1. Début de l'emprunt, parfois textuel pour *Pseudo, op. cit.* (p. 80), de l'histoire « du Christ, de l'enfant et de l'allumette » dont parle Gary dans *Vie et mort d'Émile Ajar, op. cit.* (p. 21).

— Oui, affirma le Christ. C'est bien ce que j'pense.

— Ça se peut, concéda l'enfant. Mais moi, j'crois qu'elle va lui brûler les doigts.

Il baissa les yeux vers le crucifix énorme.

— On parie quelque chose ?

— Non, se défendit le Christ, non. J'parie jamais. La religion m'le défend.

— C'est vrai, se rappela l'enfant. C'est vrai. J'y ai pas pensé.

— T'as eu tort, remarqua le Christ, avec sévérité. Si tu y pensais un peu plus souvent, tu me ferais pas tout l'temps des propositions idiotes.

— Ne te fâche pas, dit l'enfant.

— J'me fâche jamais ! affirma le Christ, avec véhémence. La religion m'le défend !

Il ne quittait pas des yeux la lueur de l'allumette.

— Qu'est-ce que tu voulais parier, déjà ? s'enquit-il, d'un ton bourru.

— Un canif ! proposa rapidement l'enfant. Un canif. Ça gaze ?

— Ça gaze ! consentit le Christ.

Il regarda l'allumette fixement : elle s'éteignit aussitôt.

— Tu m'dois un canif ! dit-il, avec satisfaction.

— Ah non ! protesta l'enfant. J'marche pas : tu as encore fait un miracle !

— Hé ! hé ! hé ! rit le Christ, d'une petite voix modeste. C'était pour rire. Ça t'apprendra à vouloir parier avec moi !

Une autre allumette jaillit du noir, au bout du bras tremblant de Tulipe.

— Vas-y, fais-le encore, ton miracle ! demanda l'enfant.

— J'veux pas ! se défendit le Christ, avec importance. J'en fais jamais plus d'un à la fois !

— Bah ! fit l'enfant, d'un air provocant. C'est que tu es bien incapable d'en faire davantage !

— Si ! protesta le Christ, avec indignation. Chique que je peux ?

— Chiche !

Le Christ et la petite lueur jaune se regardèrent un instant et l'allumette s'éteignit humblement, comme si elle baissait les yeux[1]...]

— Rien dans les mains, rien dans les poches ! commenta froidement Tulipe, en pataugeant dans le noir avec les gestes éperdus de l'homme qui se noie. Abracadabra... pocus... pocus... Un type qui a la chance de naître fakir birman, par le temps qui court, ça vous est tout de suite sûr de gagner sa croûte. Si un curé avait été là, il aurait hurlé au miracle. Mais moi, j'y crois pas, aux miracles. Et ma femme avait autrefois loué une chambre à un curé qui n'y croyait pas non plus ! Un matin, il est parti en laissant mille francs dans sa valise et lorsqu'il est revenu, c'étaient les mille francs qui étaient partis. Il se précipite chez ma vieille... Il hurle : « Au voleur ! À l'assassin ! » Et il trouve ma femme à genoux... en train de prier... blanche... tremblant... chavirée ! Elle

1. Fin de l'emprunt.

dit : « C'est un miracle ! un miracle ! Un vrai. » Il dit : « Qu'est-ce que vous me chantez là ? » Elle dit : « J'vous chante rien ! Quand vous êtes parti, un ange m'est apparu ! Là… juste en cet endroit… dans le couloir… à côté des chiottes. Il me dit : "Ma sœur ! C'est bien chez toi que loge un fils de l'Église nommé Ponchon ?" Je lui dis : "C'est bien chez moi !" Il me dit : "Montre-moi sa chambre ! C'est un gros pécheur ! On m'a appris qu'il a un billet de mille balles en poche… Je sens, moi, qu'il va encore faire des cochonneries ! J'veux pas permettre ça ! J'suis son ange gardien ! J'aurais des histoires ! Des emmerdements ! J'en veux pas, moi ! Nom de Dieu !" Je lui dis : "J'comprends bien ça !" Et j'le conduis dans votre chambre et lui, il prend les mille balles et s'en va, par la cheminée… J'en suis encore tout émue ! » Eh bien, le cureton, il a rien voulu savoir, il a traité ma femme de salope et de voleuse et il voulait chercher les flics… Tellement, qu'on a dû lui rappeler cette petite blonde qu'il faisait monter tous les soirs… qu'il gardait jusqu'au matin… qui hurlait si fort… Ça l'a un peu calmé.

— Glouglouglou… glou… glou… glou…

Tulipe s'arrêta. Il se trouvait dans une tombe sillonnée par les ombres et les clartés fuyantes d'un crâne à huile, que des courants d'air agitaient. Entre les dents du crâne, une main narquoise avait glissé une rose sanglante, ce qui lui donnait un petit air coquin et mutin. Sur son front, quelqu'un avait tracé, au canif, un cœur transpercé et plus bas, les mots : « S et P. Tendrement et pour la vie ». Un halo rougeâtre flottait autour du crâne. La faible lueur découvrait un rat, endormi dans un coin, trois gros cafards, qui se pourchassaient joyeusement sur la voûte, une toile d'araignée, avec, dedans, une araignée et un flic qui se regardaient en chiens de faïence et les deux phrases « Bébert est un salaud » et « Au secours, mon Dieu ! » peintes sur un mur, suivies de treize points d'exclamation et séparées par un phallus gigantesque, recroquevillé et grimaçant. Sous le crâne, par terre, un macchabée verdâtre et gonflé était assis devant un cercueil. Sur le cercueil et autour, il y avait tout un peuple de bouteilles poussiéreuses. Le macchabée était dans un état d'ébriété et de décomposition fort avancé, car il lui manquait déjà le nez, la moitié d'un bras et un œil et il se balançait de gauche à droite, régulièrement, comme la pendule d'une horloge — sans tenir compte du fait qu'à chacun de ses mouvements, une poussière grisâtre s'épandait de tout son corps et qu'il diminuait ainsi dangereusement, comme s'il fondait. Il braqua sur Tulipe son œil unique et bombé...

— Un quidam m'disait jadis : dans la vie, faut être poli... Alors, j't'invite à bouère un coup !

— C'est pas d'refus ! dit Tulipe. C'est pas d'refus.

Il avança, tituba et s'assit par terre.

— À la tienne !

— Tchin-tchin !

Ils trinquèrent. face à face, ils étaient, des deux

côtés du cercueil, assis. Coudes sur planche, en avant la tête penchée : à droite, le macchabée, verdâtre et gonflé, à gauche, Tulipe, sale, pâle et décharné, à droite, le macchabée, gueule béante sur un trou noir, à gauche Tulipe, bouche ornée, bouche meublée, de deux magnifiques rangées de dents jaunes et de gencives violacées ; à droite, le macchabée, œil unique et bombé, à gauche, Tulipe, œil hagard, agité ; à droite le macchabée, verdâtre et gonflé, à gauche, Tulipe, sale, pâle et décharné… Ils beuvaient ! Ils beuvaient ! L'humidité montait, une buée rougeâtre flottait, le cercueil craquait, la tombe était sillonnée par les ombres et les clartés fuyantes du crâne, que des courants d'air agitaient…

— Triste, tout ça !

— Tu parles ! Oh là là !

— Triste !

— Triste… Voui, mais quoi ?

— Quoi quoi ?

— Triste ?

— Oh là là… De mon vivant, j'étais marié… il y a un an ! Simone, qu'elle s'appelait : cheveux noirs, yeux bleus. Glouglouglou !… Et on avait un gosse, un petit… Glouglouglou ! Un soir, dans une rue… Oh là là ! J'suis là, elle, là-bas… L'gosse, l'gosse dans les bras ! Elle m'avise : comment que ça va ? Elle traverse — et voilà : un camion lui entre dedans. Marmelade, peaux, sangs, viandes, os et sauce de cervelle ! Glou, glou et glouglouglou ! Cheveux noirs, yeux bleus… bordel de Dieu ! bordel de Dieu ! Ça m'a fait quelque chose, ça m'a fait quelque chose… Oh, que j'pleure comme ça… le coude sur le cercueil… la tête dans le bras… Marmelade, te dis-je ! Plus d'femme ! plus d'gosse !… Une boule, viandes et sangs, os, peaux et cætera… Et le camion — note-moi ça ! — ses deux phares, dans le tas… Et moi devant, là…

— Triste chose, vieux, que tout ça, bégaya Tulipe.

Il soupira et ajouta rapidement :

— Ma femme avait autrefois loué une chambre à un type, qui a eu aussi un accident comme ça. Il avait un pékinois. Il s'appelait Totor. Il l'aimait beaucoup. Et une fois qu'il faisait pipi sur la chaussée, une voiture automobile l'a écrasé. Marmelade, comme tu dis si bien. Oui. C'était son dernier pipi. Triste chose, vieux, que tout ça !

— Pouah ! on boit — et voilà ! J'suis saoul, j'les vois pas… Ils sont là ! Ils sont là ! Mais j'les vois pas… Ça recommence, sans ça…

— Ça recommence, sans ça ?

— Voui… voui… j'mens pas ! Un soir, une rue… J'suis là, elle là-bas. Tu vois ça ? L'gosse, l'gosse dans les bras ! Elle me voit… Et voilà : un camion lui entre dedans. Marmelade, sangs, peaux, viandes, os et sauce de cervelles… Plus d'femme ! Plus d'gosse ! Une boule, viandes et sangs, os, peaux et cætera… Et le camion, dans le tas, plonge ses deux phares, comme des bras !

La tombe était sillonnée par les ombres et les

clartés fuyantes du crâne que des courants d'air agitaient !

— Alors, j'ai pris un pétard et pan ! j'me suis tiré dedans ! Mais quand on a trop souffert, qu'on a aimé trop fort, on continue à aimer, à souffrir, même mort !

Il abattit violemment, sur le cercueil, ce qui lui restait du bras. Il y laissa deux doigts, en piaulant, le rat se sauva, le crâne desserra ses dents et laissa choir doucement la rose sanglante sur le crâne du macchabée…

— Pauvre vieux !

— Oh là là !

— Pauvre vieux ! répéta encore Tulipe.

Et il ajouta rapidement :

— Seulement, pour ce qui est d'ce bonhomme dont j'te parlais, il s'est pas fait sauter la cervelle, lui. Non. Il a acheté un autre pékinois. Oui. Et il l' a appelé Totor. Comme le premier !

— Oh là là ! sanglota le macchabée.

Il abattit, violemment, sur le cercueil, ce qui lui restait du bras. En poussière, sa main vola, sur le flic, l'araignée sauta, le phallus se trémoussa, le crâne se balança.

— Pauvre vieux !

— Oh là là…

Il abattit, violemment, sur le cercueil, ce qui lui restait du bras. Alors les bouteilles roulèrent par terre, le couvercle tomba et le cercueil s'ouvrit. Il en sortit un vieux petit macchabée portant redingote et pantalon rayé et très, très indigné.

— Vous n'avez pas fini, hurla-t-il au macchabée verdâtre et gonflé, vous n'avez pas fini de me taper dessus, dites ? Qu'est-ce que c'est que ces manières ? Vous sortez d'où, mon garçon ? De la fosse commune ? Vous ne pouvez pas me laisser dormir en paix, non ? Savez-vous seulement à qui vous avez affaire ? Je suis un ancien conseiller à la Cour de Cassation, monsieur ! Parfaitement, monsieur ! Je suis décoré de la légion d'honneur, monsieur ! Je suis…

— Et ta sœur ? s'enquit tranquillement le macchabée verdâtre et gonflé.

— Elle est mariée à un général, monsieur ! Parfaitement, monsieur ! C'est une sainte femme, monsieur !

— Assez ! hurla en se levant dans un grand nuage de poussière le macchabée verdâtre et gonflé.

— Comment ? Comment ? s'indigna le petit macchabée à la redingote. Me parler, ainsi, à moi ? À moi, monsieur ? Je vous ferai un procès, monsieur ! Je vous traînerai en correctionnelle ! Je…

Alors une chose terrible se produisit.

Le grand macchabée verdâtre et gonflé, oubliant toute prudence, se rua sur le petit macchabée à la redingote, les deux macchabées se saisirent, se prirent aux cheveux, roulèrent par terre dans un immense tourbillon de poussière et lorsque ce tourbillon se dissipa, Tulipe, plein d'horreur, vit qu'il ne restait plus d'eux qu'un petit monticule d'une ignoble matière, d'où une affreuse puanteur montait…

— Une belle puanteur ! hurla-t-il. Une fière puanteur ! Elle témoigne d'un accord entre les hommes dans lequel Dieu lui-même est intervenu !

Il vomit, s'essuya la bouche du bras et s'engouffra en hoquetant dans le souterrain ténébreux…

[*Oncle Anastase*]

— Pardon ! fit tout à coup, poliment, une voix enfantine. Je m'excuse de vous déranger, monsieur, mais mon oncle Anastase m'envoie voir si c'est pas ici, des fois, que ça puerait comme ça ?

— C'est pas ici ! maugréa Tulipe. Ici, y a qu'un pauvre bougre qui a bien envie d'bouère un coup !

Il fit quelques pas encore, se cognant aux parois, la bouche pleine de malédictions, trébuchant sur les pierres, les os...

— Pardon, monsieur ! fit à nouveau dans les ténèbres la voix enfantine. Pardon, c'est encore moi. Il y a mon oncle Anastase qui veut pas croire que c'est pas d'ici que ça pue comme ça. « J'ai fait la guerre ! qu'il m'a hurlé. Toute la guerre ! J'ai été douze fois cité à l'ordre de la nation, dont deux à titre posthume ! J'ai fait la Marne, j'ai été à Verdun, je suis une gueule cassée, il me manque un bras, j'ai vu — de mes yeux vu — une vingtaine de généraux ! Et alors, qu'il a hurlé, on a encore le culot de prétendre que j'me connais pas en puanteur, moi ? C'est trop fort ! » Et alors, il m'envoie vous dire que c'est trop fort.

— La barbe ! bégaya Tulipe. Dis-y : merde !

— J'y dirai ! affirma gravement la voix enfantine. Mais il faut pas lui en vouloir, vous savez. Il a fait toute la guerre. Il a été douze fois blessé, douze fois décoré. Et il a connu tant de généraux !

— Hi ! hi ! piaffa Tulipe, en se tapant les fesses, de joie.

L'enfant s'en alla, dans un clapotement hâtif de ses pieds nus et Tulipe fit un effort surhumain pour avancer, en ligne droite, autant que possible… À présent, il pataugeait jusqu'aux chevilles dans une eau bourbeuse et glacée d'où s'levait parfois le cri haineux d'un crapaud. L'eau glissait aussi sur les parois du souterrain et sur la voûte : il recevait tout le temps des gouttes froides sur le visage, comme s'il pleuvait. Pourtant, il étouffait et la sueur mouillait ses tempes et sa lèvre : l'impression de marcher dans un immense vase clos… De nouveau, le clapotement des pieds nus, quelque part, devant lui. Il s'arrêta. Un crapaud poussa une pierre, dans l'eau. Un enfant apparut, à l'autre bout du souterrain, une chandelle à la main… Des lueurs chaudes luttèrent contre les ombres, les repoussèrent… Aussitôt, les crapauds éveillés se mirent à lancer des cris hargneux vers la chandelle, vers les rayons infimes qui traînaient tristement dans les eaux vertes, blessés à mort…

— C'est encore moi ! dit l'enfant, en agitant

ses boucles blondes. Mon oncle Anastase a tenu à venir lui-même !…

Il disparut et revint aussitôt, conduisant par le bras un vieillard. De nouveau, les crapauds élevèrent leur chœur infernal, que l'écho répéta longuement, jusqu'au fond de la nuit…

— Nous y sommes ? grinça le vieux.

— Nous y sommes, mon oncle ! répondit l'enfant, de sa voix claire.

— Et il y a quelqu'un ? demanda le vieux.

— Oui, dit l'enfant. Vous pouvez parler, mon oncle. On vous entendra. Et je lève la bougie : comme ça, on vous verra aussi.

Il leva le bras.

Tulipe vit un visage ravagé, hideux, informe.

Une partie du nez et une joue manquaient : on apercevait les os. À la place des yeux, deux trous sans fond, noirs… Sur la poitrine squelettique, des décorations multicolores, soigneusement astiquées.

— Mon oncle Anastase ! présenta l'enfant, en souriant. Parlez, mon oncle !

— J'a va parler, fiston ! grinça le vieux. Écoutez, vous autres, tant que vous êtes ! J'ai fait toute la guerre, moi ! J'ai laissé ma vie et la moitié d'mon corps dans les tranchées, aux rats ! J'ai plus d'yeux et moins de viande au visage qu'il n'en faut pour faire un visage d'homme. J'suis à moitié sourd, j'peux plus voir, j'peux plus manger : j'ai plus d'intestins…

— C'est un obus de soixante-quinze, qui lui est tombé dessus, en dix-huit ! dit l'enfant, d'un air important, en agitant ses boucles blondes.

— Tout ce que j'peux faire, grinça le vieux, c'est respirer. Alors, il y a parmi vous un salaud, un salaud...

— Hurlez pas mon oncle, dit l'enfant, tranquillement. Il est pas sourd, lui. Il vous entend !

— Il y a parmi vous un salaud, hurlait le vieux, qui s'est mis à puer exprès comme cent mille morts pour m'ôter l'air d'la bouche pour empoisonner l'air, tout l'bon air autour de moi...

— Hurlez pas, mon oncle ! répéta l'enfant, en tirant le vieux par la manche. Hurlez pas. Ça sert à rien.

— Est-ce que j'ai hurlé, fiston ? murmura le vieux, humblement.

— Vous avez hurlé, mon oncle, affirma gravement l'enfant. Mais vous en faites pas. J'sais bien que vous faites pas exprès. J'sais bien qu'vous êtes sourd comme un pot.

— Oui, sourd ! grinça le vieux. Sans yeux, sans oreilles, sans dents, sans vie... une gueule cassée, une gueule...

— Cassée, interrompit l'enfant, avec impatience. C'est pas la peine de répéter. Il a entendu. Et puis, il a vu !

— Une gueule cassée, pleurnichait le vieux. Tout l'plaisir qui m'reste, c'est d'respirer ! Alors, il y a un salaud qui s'est mis à puer exprès comme cent mille morts, pour empoisonner l'air, autour d'moi, pour m'ôter tout l'bon air d'la bouche...

— Pleurez pas, mon oncle ! dit l'enfant, en

lui tiraillant la manche. Un homme, ça doit jamais pleurer !

— Pour m'empêcher d'respirer... pleurnichait le vieux.

— Allons, mon oncle, allons ! dit l'enfant, d'un air gêné.

— Un salaud, un salaud... pleurnichait le vieux.

— Allons, mon oncle, allons ! répéta l'enfant, avec impatience.

— Je suis une gueule cas...

— Ça suffit, mon oncle ! cria l'enfant, avec colère, en agitant ses boucles blondes. Calmez-vous ou je vais me fâcher !

Le vieux se tut aussitôt et appuya sur sa poitrine sa tête branlante.

— C'est pas moi ! jura Tulipe, la main sur le cœur, en crachant dans l'eau, pour donner plus de force à cette affirmation.

— Je suis une gueule cassée, une gueule cassée...

— Allons voir ailleurs, mon oncle ! dit l'enfant, en le tirant par le bras. C'est peut-être notre voisin d'en face, vous savez, celui qui trompe sa femme avec la femme de monsieur Contembleur. Faites attention, mon oncle : il y a un trou.

Ils s'en allèrent, dans un grand clapotement d'eau et les ombres s'épaissirent. Les crapauds poussèrent quelques coassements satisfaits. Mais l'enfant réapparut et dit encore, poliment, en ouvrant bien larges ses yeux bleus au-dessus de la flamme tremblante :

— Bonne nuit, monsieur. Excusez-nous de vous avoir ennuyé. Moi, je savais bien que ça venait pas d'vous, cette puanteur, mais c'est mon oncle Anastase qui a rien voulu savoir. Faut pas lui en vouloir. Il y a si longtemps qu'il est mort ! Et puis, il y a encore eu cet obus qui lui est tombé dessus, en dix-huit… Ça l'avait un peu dérangé. Dormez bien !

Et il disparut, poursuivi par les malédictions véhémentes des crapauds. Mais Tulipe ne demeura pas longtemps seul. Pataugeant dans la boue, il fut plongé tout à coup, dans le brouhaha, le tumulte, dans un grand éclat de voix, de cris, d'injures et se trouva, hébété, dans une vaste fosse où venaient aboutir plusieurs couloirs pareils à celui qu'il venait de quitter. Un attroupement s'était formé au milieu de la fosse, un gros pâté de macchabées, baigné par la lumière pâle d'un bec de gaz. Il était difficile de savoir de quoi il s'agissait : on ne voyait que les derrières des macchabées qui sautaient sans répit en l'air, essayant en vain de jeter un regard par-dessus la tête de ceux qui étaient devant et qui sautaient également, ce qui compliquait les choses. Tulipe essaya de se frayer le passage, mais recula immédiatement devant l'énorme nuage de poussière que chacun de ses mouvements éveillait dans la foule ; il se débattit, hagard, le visage ruisselant de sueur, se rejeta en arrière, s'aplatît contre une pierre et demeura ainsi, haletant, immobile.

— De quoi se marrer ! dit une voix lugubre, dans la foule. C'est une poule. Elle se promenait et puis, elle s'est assise par terre et elle s'est mise à braire. Hi ! hi ! hi ! Elle accouche. De quoi se marrer !

Tulipe entendait maintenant les hurlements, mais ne voyait toujours pas la femme, noyée, quelque part, perdue au fond de la foule.

— De quoi se marrer !

Les macchabées sautillaient sans arrêt dans la lumière diffuse du bec de gaz, se dressaient sur la pointe des pieds et se perdaient en d'invraisemblables efforts pour quitter le sol et rester suspendus dans les airs, mais à part les quelques rares privilégiés qui étaient au centre, personne ne voyait rien.

— Attendez ! glapit soudain une voix décidée et mâle, à l'intérieur du groupe. Laissez-moi, je sais y faire ! Je suis père de neuf enfants, alors…

— Alors, il n'y a pas de quoi se vanter !

— Ça vous regarde ?

— Non. Mais ça me dégoûte !

— Un dégueulass, voilà ce que vous êtes…

— Un dégueulass, moi ? Ça fait trente ans qu'on est marié — et rien ! Chaque nuit — et rien ! Rien ! On s'arrange, quoi. On veut pas faire des morts ! On est des civilisés !

— Un dégueulass, un dégueulass…

La femme s'égosillait toujours, sur tous les tons, invisible, noyée quelque part, parmi les macchabées.

— Prenez-la par un bras, vous. Vous, prenez-la par l'autre. Comme ça. Maintenant, soulevez-la. Écartez-lui bien les jambes. À mon commandement, secouez… vous y êtes ? Allons-y. Une, deux… une, deux…

Maintenant, la voix de la femme baissait rapidement et s'étranglait dans une sorte de spasme prolongé. Mais c'était encore intéressant et les macchabées ne s'en allaient pas, sautillant toujours, pour mieux voir. À présent, on voyait mieux. On secouait la femme comme un sac qu'on essaye de vider et sa tête s'élevait par à-coups au-dessus de la foule. Ceux qui étaient autour et qui avaient sauté au bon moment, voyaient ses cheveux ébouriffés et les traits du visage ; un teint vert bouteille, des yeux bombés, comme prêts à éclater pour répandre toute la souffrance dont ils étaient pleins et une bouche tordue, aux lèvres entrouvertes.

— Un malin, mes enfants ! Il finira peut-être par sortir, mais il y a gros à parier qu'il va la crever auparavant ! Comment qu'on dit, déjà ? Dent pour dent, nez pour nez…

— Œil pour œil !

— Moi, mes enfants, si j'étais une petite poule et si on m'avait fait ça… Malheur ! Dent pour dent ! Nez pour nez !

— Œil pour œil !

— Ça va, vous, là-bas, avec votre œil !

— Une, deux… Une, deux…

— Dites donc, vous père de neuf enfants…

— Voui, môssieur ! Et j'en ferai d'autres, si cela me chante…

— La ferme…

— Un bol…

— La ferme !

— Un bolchevik, je vous dis…

— Séparez-les… Ils vont se battre !

— Un bolchevik, je vous dis et en pleine lumière…

— Et moi, je vous dis qu'ils vont se battre !

La femme hurlait de moins en moins. À présent, lorsque son visage s'élevait au-dessus de la foule, Tulipe voyait que les yeux étaient fermés. Mais c'était encore assez amusant et les macchabées ne s'en allaient pas.

— Me dire une chose pareille, à moi ! J'ai donné sept soldats et deux mères à la France !

— Hi ! hi ! hi ! À bas la guerre !

— Un bolche…

Mais en ce moment, des flics se ruèrent de tous côtés dans la fosse, bavant de rage, matraque en main…

— Circulez ! circulez !

Ils entrèrent dans la foule, à grands coups de pieds et de matraque et les macchabées filèrent comme des cafards qu'on arrose, se débattant sur le corps de la femme, qu'on avait laissé tomber… Un macchabée tout nu appelait sa mère, un vieillard miteux pleurnichait, un monsieur décoré hurlait qu'il allait mourir, sans préciser ce qu'il entendait par là et un chapeau melon complètement affolé roulait par terre, poursuivi par trois petits ratons joyeux. Une poussière grise s'éleva de la foule, tellement épaisse, qu'elle étouffa la lumière et plongea un instant la fosse dans le noir et lorsque cette poussière se dissipa, Tulipe vit au centre de la tombe, sur un monticule d'une matière innommable d'où quelques os pointaient, un petit corps immobile et recroquevillé : l'enfant avait fini par sortir tout de même.

— Assassins ! hurla Tulipe, en vomissant.

[*La mandoline*]

Et il voulut s'enfuir, mais au même moment, un rat piaula, un chat miaula, une chauve-souris vola et trois hideux squelettes débouchèrent du souterrain et s'accroupirent en craquant autour du bec de gaz, dans l'eau. Le plus petit se curait les dents, le plus grand suçait un os, le troisième parlait.

— Oui, grinçait-il, répondant sans doute à une question, oui, j'ai vu également Julot. J'y suis allée le soir, en sortant de chez cette bonne sœur Crippe. C'est un bistrot, au bout de la rue de l'As de Pique, là où il y a cette jolie petite place, avec cet arbre au milieu. Il y joue de la mandoline, Julot...

— Il a toujours été si musicien, ce garçon ! hurla le plus grand des trois squelettes, d'une voix éraillée, en brandissant son os.

Un crapaud poussa un coassement épouvanté et plongea bruyamment d'une pierre dans l'eau. Quelques crapauds répondirent.

— Si musicien ! N'est-ce pas, sœur Pédonque ?

Le plus petit des trois squelettes fit oui, du crâne et continua avec recueillement à se curer les dents.

— J'y suis entrée, continua le troisième, et tout de suite, je le vois, Julot, sur une espèce d'estrade, à côté du pianiste et il était si maigre, si maigre, que j'en ai eu peur. « Bonsoir, fiston ! » que je lui dis. « Bonsoir, vieille putain ! » qu'il me répond.

— Ils ont toujours été si copains, ensemble, elle et lui ! hurla le plus grand des trois squelettes, en retirant de sa gueule l'os qu'il suçait. Un vrai fils et une vraie mère ! N'est-ce pas, sœur Pédonque ?

Le plus petit des trois squelettes opina rapidement du bonnet et continua à se curer les dents avec frénésie.

— Oui, reprit le troisième, oui, sœur Polypie ! « Tu es bien maigre, fiston ! » que je lui dis alors, en soupirant. « C'est la mandoline, qu'il me dit, je maigris, elle engraisse ! » Et c'était vrai, doux Seigneur Jésus ! La mandoline, elle était toute rebondie, bedonnante et un gros ventre lui avait poussé, qu'elle se frottait de ses deux petits bras, en gémissant doucement. « Qu'est-ce qu'elle a, que je demande à Julot, qu'est-ce qu'elle a, cette mandoline ? » « Hum ! qu'il fait, en rougissant un brin. J'crois bien qu'elle est hum ! enceinte. J'crois bien que j'lui ai fait un gosse ! » « Un gosse ? que j'dis, un gosse ? Seigneur Dieu tout-puissant ! » « Il est notre père à tous », dit Julot, pieusement et juste en ce moment, il y a le pianiste qui pousse un hurlement. « Qu'est-ce qui vous prend ? » que j'lui demande. « C'est l'piano ! qu'il gémit, en se suçant les doigts. C'est l'piano qui m'encore mordu ! » « Le salaud ! » dit Julot, en s'escrimant sur sa mandoline. « Le salaud ! » dit le pianiste en s'essuyant les yeux. Et alors, je regarde autour et je vois que comme tout client, dans le bistrot, il y avait en tout et pour tout une vache, assise à une table, qui écoutait la musique et pleurait, en se branlant les pis. « Qu'est-ce qu'elle fait, ici, cette vache ? » que j'demande à Julot. « Le doigt dans l'œil ! qu'il me répond. C'est pas une vache. C'est un flic. Seulement, il s'est déguisé en vache, pour passer inaperçu ! » « Le salaud ! » que j'dis, en hochant la tête. « Le salaud ! » dit le pianiste, en s'essuyant les yeux. Et Julot s'esquintait toujours sur la mandoline et il maigrissait, le pauvre, à vue d'œil et la mandoline, elle enflait, elle grossissait toujours et toujours elle se frottait le ventre de ses deux petits bras, en gémissant. « Tu maigris, fiston ! » que j'lui dis, à Julot. « J'le sais bien, vieille putain ! » qu'il m'répond, en travaillant toujours du bras.

— Ils ont toujours été si copains ensemble, elle et lui ! hurla le plus grand des squelettes. Une vraie mère et un vrai fils ! N'est-ce pas, sœur Pédonque ?

Le plus petit des trois squelettes opina hâtivement du bonnet et continua à se curer furieusement les dents, jouissant visiblement de la mâchoire.

— Et en ce moment, continuait le troisième, il y a encore le pianiste qui pousse un cri. « Qu'est-ce qu'il y a, mon Dieu ? » que j'lui demande, tout effrayée. « Il y a, qu'il m'dit, il y a que le vieux m'a encore botté le cul ! Hi ! hi ! hi ! » Et l'v'là qui s'met à sangloter, en se fourrant les poings dans les yeux. Et moi, j'avise un tabouret, qui était là et j'le prends, pour m'asseoir dessus, mais Julot, il m'a pas laissée. « T'assieds pas d'ssus ! qu'il a hurlé. C'est dangereux ! » « Pourquoi ça ? que j'demande, tout effrayée. Pourquoi ça ? C'est un tabouret ! » « Le doigt dans l'œil ! qu'il me répond. C'est un flic. Seulement, il s'est déguisé en tabouret, pour passer inaperçu ! » « Alors, Julot, on en cause ? » que j'lui dis alors, vite, parce que j'commençais à m'sentir rudement mal à l'aise, dans ce bistrot. « Si tu veux ! » qu'il m'répond. « Tu veux toujours l'épouser ta patronne ? » « Toujours, qu'il me répond. J'attends seulement que tu nous donnes quelque pognon, maman trois fois chérie ! » « Tu attendras longtemps, que j'lui ai dit alors. Tu attendras longtemps, mon fils adoré ! » « Vieille putain ! » qu'il m'a dit alors, tendrement, en travaillant toujours du bras et en s'escrimant, sur la mandoline…

— Ils ont toujours été si copains, elle et lui ! hurla le plus grand des trois squelettes, en mordillant son os. Un vrai fils et une vraie mère ! N'est-ce pas, sœur Pédonque ?

Mais le plus petit des trois squelettes ne répondit rien et continua à se frotter rageusement les dents.

— Oui, reprit le troisième, oui, sœur Polypie ! « Et où qu'elle est, ta patronne ? que j'lui demande, à Julot. J'voudrais bien jeter un coup d'œil d'ssus ! » « Mais c'est ça, la patronne », qu'il m'dit en me mettant la mandoline sous le nez. « Et c'est ça, le patron ! » dit le pianiste, en me montrant le piano, du doigt. « Il a pas entendu c'qu'on dit, au moins ? » que j'demande à Julot. « Pas d'danger ! qu'il m'répond. Le vieux est sourd comme un pot ! » Et en ce moment, on entend un beuglement affreux et un claquement de langue et un soupir de satisfaction et j'me retourne et j'vois que le pianiste, il est plus là ! « Où qu'il est passé ? » que j'demande à Julot. « Pas loin ! qu'il m'répond. C'est le piano qui l'a bouffé. Ça fait le cinquième pianiste qu'il bouffe, cette semaine. Le vieux est terrible, lorsqu'il s'met en rogne ! » Cette aventure m'avait bien remuée et j'm'approche de la vache qui était en train d'se rouler une sèche et j'prends le demi qui était devant elle, sur la table, pour boire un coup et me rafraîchir un brin les idées. Mais Julot, il m'a pas laissée. « Attention ! qu'il a hurlé. C'est dangereux ! » « Pourquoi ça ? que j'demande, tout étonnée. C'est d'la bière ! » « Le doigt dans l'œil ! qu'il me dit. C'est un flic. Seulement, il s'est déguisé en bière, pour passer inaperçu ! » « Le salaud ! » que j'hurle, en tremblant d'peur. « Le salaud ! » hurle Julot, tout en sueur, en travaillant du bras.

— Le salaud ! Le salaud ! vociféra le plus grand des trois squelettes, en brandissant son os. Le salaud ! N'est-ce pas, sœur Pédonque ?

Mais le plus petit des trois squelettes, accroché de toutes ses phalanges à ses dents et horriblement rouge, poussa seulement une sorte de râle rauque et saccadé, cependant que toute sa personne tremblait convulsivement et qu'une ignoble matière jaunâtre et nauséabonde lui giclait des dents et lui emplissait la gueule...

— Et en ce moment, continua le troisième squelette, en ce moment il y a la mandoline qui pousse un cri déchirant, qui craque, qui claque, qui s'ouvre largement et il y a tout un tas de petites mandolines mouillées et frétillantes qui lui tombent du ventre en guignant « papa, papa ! » et « maman ! maman ! » et qui essayent de se relever et qui rampent piteusement à quatre pattes. Et Julot, il devient écarlate et il enfle d'orgueil, comme un ballon : « J'suis père ! » qu'il a hurlé. « J'suis cocu ! » gémit en ce moment le piano et il poussa un si épouvantable glapissement, que ses mâchoires craquèrent, que ses dents s'éparpillèrent sur le plancher dans un « do ! mi ! sol ! do ! fa ! » retentissant et que la vache, de saisissement, s'empara du demi de bière et le vida d'une traite oubliant que son pauvre petit collègue, il était dedans... « Adieu, vieille putain ! » m'a hurlé alors Julot et ramassant les petites mandolines par la peau du cou, il les fourra dans ses poches et prenant sous le bras la patronne évanouie, il s'enfuit triomphalement par la fenêtre, cependant que la vache s'apercevait avec épouvante qu'elle venait d'avaler son copain et s'arrachait les cheveux de désespoir, que le tabouret essayait vainement de la réconforter et de la soutenir et que le piano se curait le nez et pleurait à chaudes larmes, vomissant un à un à chaque hoquet les cinq pianistes qu'il avait dans le ventre et qui faisaient un vacarme de tous les diables en réclamant la liber…

— Sauve qui peut ! brailla soudain sœur Polypie, d'une voix épouvantable.

Mais il était déjà trop tard. Une meute de chiens hurlants déboucha dans le souterrain, langue pendante, crocs menaçants et se jetant sur les trois squelettes et saisissant qui une jambe, qui une côte, qui un bras, ils les mirent en pièces et s'enfuirent aussitôt, comme ils étaient venus, en grognant voluptueusement pour les ronger à leur aise dans quelque coin obscur — avec une rapidité telle, que le rat n'eut pas le temps de piauler, le chat de miauler, la chauve-souris de voler et que seuls trois crânes aux gueules béantes encore pour hurler, trois crânes abandonnés dans l'eau jaunâtre et bourbeuse, autour du bec de gaz pâlissant, trois crânes dont la meute n'avait pas voulu, témoignaient encore de son passage…

— Beuh ! hoqueta Tulipe.

[*Doña Inès*]

— Je vous salue, cher Kamerad !

Tulipe poussa un hurlement, tourna comme une toupie sur lui-même et se trouva nez à nez avec le gentil petit macchabée boche qu'il avait déjà eu le plaisir de rencontrer ; il venait de jaillir d'un cercueil et il se tenait immobile sur une jambe, levant l'autre en l'air, comme une cigogne. Il portait toujours son uniforme chamarré et criblé de décorations, un monocle était toujours coincé dans son œil droit et son œil gauche était mi-clos, comme chez une poule…

— Mein Gott !! Cher Kamerad, c'est encore vous ! Je suis absolument ravi, absolument… Ach ! Mein Gott !!

Au comble de l'émotion, il se pencha et colla un baiser froid sur les lèvres de Tulipe.

— Triste sire ! brailla celui-ci, en vomissant. Infâme pédéraste !

— Pédéraste, moi ? s'indigna sincèrement le sympathique macchabée. Que dites-vous là, cher Kamerad ? Les femmes… ach… les femmes !

C'est mon faible, pourtant ! — mais c'est aussi mon fort ! Hé ! hé ! Connaissez-vous la noble señorita Inès del Carmelito ? La plus belle et la plus pure fleur qui ait jamais poussé sous le ciel torride de l'Espagne ! Un jour, à Séville, je me promène, une guitare dans une main, une mandoline dans l'autre et soudain, je la vois ! Et soudain, elle me voit ! Il faisait chaud, dans la ville et doña Inès s'était arrêtée sur la place pour se désaltérer quelque peu à l'abreuvoir. Elle me regarde… Je la regarde… Tonnerre et éclairs ! On se regarde… Alors, elle soupira — comme ça…

Ici, le sympathique macchabée exhala un soupir tellement profond, qu'il se vida, tout entier, se rétrécit et flotta un instant à l'intérieur de son uniforme.

— Il va crever ! constata Tulipe, avec joie.

Mais il n'en fut rien.

— Alors, continua-t-il, en reprenant peu à peu ses dimensions naturelles, alors, j'ai balayé de mon sombrero la poussière à ses pieds et mettant genou à terre, je dis : « Señorita ! Je m'engage à arracher les yeux à celui qui oserait prétendre qu'il est au monde une beauté plus pure et plus suave que la vôtre ! » Et elle plongea sa noble tête jusqu'à la croupe dans l'eau de l'abreuvoir et ayant bu un fameux coup, elle secoua sa fauve crinière et dit : « Señor ! Je m'engage à traiter pareillement celui qui oserait affirmer que vous n'êtes pas le plus galant cavalier qu'une jument ait jamais porté ! » Et baissant délicieusement les yeux : « Je suis doña Inès del Carmelito, me dit-elle encore, et mon père est don Toros, que tout le monde connaît à Séville ! » Et elle soupira — comme ça…

Ici, le sympathique macchabée exhala un soupir tellement profond, qu'il se vida tout entier, se rétrécit et flotta un instant comme un bouchon sur l'eau à l'intérieur de son uniforme…

— Il va crever ! se réjouit Tulipe.

Mais il n'en fut rien.

— Et moi, continua-t-il, en reprenant peu à peu ses dimensions naturelles, et moi, le plus grand don Juan de tous les Casanovas, je sautais sur mon mustang noir et le soir venu toc ! toc ! toc ! Je galopais au château de don Toros. On m'introduisit et don Toros me regarda à la dérobée de ses yeux injectés où la lueur des torches mettait un éclat fauve, en secouant dangereusement sa tête énorme et en frappant furieusement de sa patte de devant les dalles blanches de la salle. « Meu, meu ! fit-il, d'une voix terrible. Ma noble fille m'a déjà parlé de vous ! » Et il secouait toujours sa tête énorme, en pointant dans la direction de mon ventre les deux bosses aiguisées qu'il avait sur le front. « Meu, meu ! fit-il encore, enlevez-moi votre ceinture, meu ! » C'était une belle ceinture rouge qui se détachait nettement sur la soie noire de mon pantalon. « Enlevez-la, meu ! » exigea-t-il encore, en secouant toujours la tête et en frappant toujours de sa patte de devant les dalles blanches de la salle. Je l'ai enlevée et ayant balayé de mon sombrero la poussière à ses pieds, j'ai mis genou à terre et j'ai dit : « Señor ! Je viens vous demander la main de votre noble fille doña Inès, que j'aime ! » Et j'ai soupiré — comme ça…

Ici, le sympathique macchabée exhala un soupir tellement profond, qu'il se vida, tout entier, se rétrécit et flotta un instant comme un bouchon sur l'eau à l'intérieur de son uniforme.

— Il va crever ! constata Tulipe, avec satisfaction.

Mais il n'en fut rien.

— Et alors, continua-t-il, en reprenant peu à peu ses dimensions naturelles, et alors « meu ! meu ! » fit don Toros et se dressant brusquement sur ses pattes de derrière, il se mit à marcher de long en large de la salle et ses naseaux émettaient des sifflements affreux qui faisaient vaciller la lueur des torches. Puis il s'arrêta et dit : « Señor ! Une cruelle fatalité pèse sur notre famille ! Lorsqu'une fille y veut se marier, son amoureux doit se mesurer aux plus dangereux des toros de toute l'Espagne. S'il sort vainqueur de la lutte, c'est lui qu'on conduit au lit de la pucelle. Sinon… » Ici s'interrompit don Toros del Carmelito et se dressant brusquement sur ses pattes de derrière, il se mit à marcher de long en large de la salle et ses naseaux émettaient des sifflement affreux qui faisaient vaciller la lueur des torches. « Meu ! fit-il, d'une voix pleine de larmes. Sans commentaires ! Venez visiter plutôt la galerie des ancêtres ! » Il dit et m'ayant amené dans une spacieuse galerie, il me désigna les murs… Tonnerre et éclairs ! Quel spectacle, mein Gott ! Quel souvenir ! De toutes parts, des têtes de taureaux empaillés me fixaient de leurs yeux de verre et me menaçaient de leurs cornes crochues ! « Comme vous le voyez, le sort n'a guère été favorable, jusqu'à présent, à notre famille ! » murmura tristement don Toros. Et alors, j'ai balayé de mon sombrero la poussière à ses pieds et mettant genou à terre, j'ai dit : « Señor ! pour conquérir la plus belle et la plus pure fleur qui ait jamais poussé sous le ciel torride de l'Espagne, señor ! j'arracherai et j'éparpillerai aux quatre vents les cœurs de tous les toros du monde ! » « Meu ! fit éperdument don Toros… Meu ! » Et il a soupiré — comme ça…

Ici, le sympathique macchabée exhala un soupir tellement profond, qu'il se vida, tout entier, se rétrécit et flotta un instant comme un bouchon sur l'eau à l'intérieur de son uniforme.

— Il va crever ! constata Tulipe, avec espoir.

Mais il n'en fut rien.

— Et le lendemain, continua le sympathique macchabée en reprenant peu à peu ses dimensions naturelles, le lendemain… Tonnerre et éclairs ! Quel spectacle, mein Gott ! Quel souvenir ! Des gradins bondés, une foule tumultueuse, un orchestre délirant et moi, là, au milieu de l'arène, une écharpe dans une main, une épée dans l'autre ! Douze toros vaincus jonchent le sol. Et moi, je suis là, l'épée dans une main, l'écharpe rouge dans l'autre ! « Tralalala ! » fait l'orchestre. « Ollé ! Ollé Ollé ! » fait la foule.

Un toro sort… Je le regarde : il rentre. « Tralalala ! » fait l'orchestre. « Ollé ! Ollé ! Ollé ! » fait la foule. Un toro sort… Il regarde : douze toros vaincus jonchent le sol. « Tralalala ! » fait l'orchestre. « Ollé ! Ollé ! Ollé ! » fait la foule. Le toro se trouve mal : on emporte le toro évanoui. Mais soudain, le portail s'ouvre largement et une calèche noire, traînée par six chevaux d'un blanc immaculé fait irruption dans l'arène ! Et dans la calèche… Tonnerre et éclairs ! Quel spectacle, mein Gott ! Quel souvenir ! Un toro est assis confortablement dans la calèche, un toro, oui, en frac, un monocle dans un œil, un haut de forme luisant sur les cornes, un long fume-cigarettes laqué dans une main, un mouchoir de batiste dans l'autre. L'orchestre se tait, la foule se tait, tout se tait. « Méfiez-vous ! me crie alors doña Inès de sa loge. C'est le plus dangereux et il m'aime ! » « Ha ! ha ! ha ! fit alors le toro et il descendit de la calèche. Ha ! Ha ! Ha ! Foui che d'aime, ma déligate Inès ! Bour des peaux yeux, che subrimerai ce baldoquet et nous aurons peaucoup d'enfants ! Ha ! Ha ! Ha ! Ch'ai dit ! » Il dit ça, le toro et le voilà qui descend de sa calèche, qui ôte son monocle et son haut de forme, qui se fait aiguiser une dernière fois les cornes. « Edes-fous brêt ? » me lance-t-il, négligemment. « Vous êtes-vous fait préparer une civière ? » répondis-je. « Ha ! Ha ! Ha ! rit-il. Ceci est fôtre dernière blaisanterie ! Carde à fous ! » Et il se précipite ! « Tralalala ! » fait l'orchestre. « Ollé ! Ollé ! Ollé ! » fait la foule.

Le toro arrive sur moi, je saute de côté, il passe, je le saisis par la queue… « Lâchez ma gueue ! hurle-t-il. Fous me faides mal ! » Pan ! D'un geste, je le renverse sur le dos ! « Tralalala ! » fait l'orchestre. « Donnère et églairs ! » fait le toro. « Donnère et églairs ! Che fais me salir ! » Alors, je lève mon épée… « Ollé ! Ollé ! Ollé ! » « Ach, ma pauvre mère ! fait le toro, che suis foudu ! » Mais soudain… Quel spectacle, mein Gott ! quel souvenir ! Le portail s'ouvre largement et un troupeau de vaches se précipite dans l'arène ! Elles marchent toutes sur leurs pattes de derrière, de grosses larmes coulent de leurs yeux et chacune tient dans ses pattes de devant, un petit veau gémissant. Les vaches font : « Hou ! Hou ! Hou ! Pitié pour notre époux ! » Les veaux font : « Hou ! hou ! hou ! Pitié, ayez pitié de nous ! » « Prenez garde, me crie doña Inès de sa loge, c'est un coup monté ! Il fait toujours ça, lorsqu'il se sent perdu ! » Alors, siach ! j'abaisse mon épée. « Tralalala ! » fait l'orchestre. « Ollé ! Ollé ! Ollé ! » fait la foule. « Nom de Tieu ! » fait le toro et il rend son dernier soupir. Un soupir comme ça…

Ici, le sympathique macchabée exhala un soupir tellement profond qu'il se vida, tout entier, se rétrécit et flotta un instant, comme un bouchon sur l'eau, à l'intérieur de son uniforme.

— Fieffé menteur ! hurla Tulipe. Je te méprise, na !

Il lui tourna le dos, avec dignité, et s'engouffra en titubant dans le souterrain ténébreux…

— Et puis, il ne bougea plus ! entendit-il encore. Les vaches se mirent à arroser son corps de pleurs, les petits veaux lui léchèrent les naseaux et finalement, voyant qu'il était bel et bien mort, ils l'emportèrent sur la calèche et un long cortège se forma, qui parcourut toute la ville. Et c'est ainsi, c'est ainsi que j'ai conquis la plus belle et la plus pure fleur qui ait jamais poussé sous le ciel torride de l'Espagne… Ollé !

Il ponctua son récit d'un claquement sonore des doigts. Le silence tomba. Tulipe fit quelques pas encore, tâtonnant.

[*Tremblement de terre*]

— Honteux ! s'exclama tout à coup une voix outrée, tout près de lui…

Tulipe vomit de saisissement, tituba, sur la pointe des pieds et s'immobilisa à l'entrée du petit réduit qu'il reconnut sans peine. Les deux distingués squelettes qui l'occupaient — le grand maigre et le petit courtaud — étaient assis face à face sur leurs cercueils et nettoyaient avec un zèle louable, une assiette fêlée, à l'aide d'un torchon souillé. Ce faisant, ils péroraient — ou plutôt, c'était le grand squelette maigri qui parlait, d'une voix aiguë et, il faut bien le dire, assez déplaisante : le petit courtaud se contentait modestement de placer, de temps à autre, une exclamation indignée.

— Honteux ! s'écriait-il justement en levant au ciel ses orbites courroucées.

— Je suis très exactement de votre avis, ma chère ! approuva le grand squelette maigre, avec dignité. Et le plus fort, c'est que ce n'était pas tout ! Loin de là ! Ça ne faisait même que commencer ! Cette révolution, ça ne lui suffisait pas ! Ça l'avait mise seulement en appétit ! Elle venait l'embêter tous les matins, en déshabillé, maquillée comme une grue, histoire de lui mettre la fourmi au ventre ! « J'veux un tremblement de terre ! qu'elle lui disait. Un vrai ! Un grand ! Quelque chose de tout à fait formidable ! Unique dans son genre ! Un chef-d'œuvre de tremblement de terre ! Tu le feras, dis, mon chéri ? Tu le lui offriras, dis, son tremblement, à ta petite Fifi bien aimée ? »

— Honteux ! s'indigna sombrement le petit squelette courtaud.

— Oui ! Et le vieux, il s'arrachait paraît-il la barbe à larges poignées et il gémissait, comme un caniche : « J'peux pas, Fifi adorée, j'peux pas ! J'suis déjà perdu de réputation ! Méprisé ! Haï ! Injurié, du matin au soir ! À part les curés — et encore ! — personne ne me respecte plus ! On ne prononce mon nom que pour me maudire ! Et ils ont raison ! Tous ! Tant qu'ils sont ! J'leur ai jamais fait que des misères, à ces braves gens ! Des cochonneries ! Des famines ! Des pertes ! Ils méritent pas ça, Fifi adorée ! Pense un peu à cette révolution que tu as voulue, la semaine dernière ! Tu l'as eue ! Et puis cette inondation ! Tout un village détruit ! Cinq cents noyés ! Sans compter les femmes ! Ni les petits enfants ! Et puis cette catastrophe de chemin de fer… une marmelade générale ! » « Ça m'amuse plus ! qu'elle a crié, en tapant du pied. J'veux un tremblement de terre, na ! Un grand ! Un formidable ! Un phénoménal ! »

— Des femmes comme ça… grinça le petit squelette courtaud, hochant le crâne. Honteux !

— Oui. Et alors, elle l'a traité de vieux impuissant et il s'est mis à braire et puis il a fait ce tremblement de terre en Asie qui a fait cinquante mille morts et puis cette fameuse épidémie de peste qu'il lui promettait déjà depuis deux mois… Il ne lui refuse plus rien, ma chère ! C'est triste à dire, mais quand elle l'appelle « sa pauvre grosse ta-tarte à la crème ! » il est prêt à toutes les extrémités !

— Hon-teux ! observa avec force le petit squelette courtaud.

— Oui ! Et après, il est toujours plein de remords, bourré de regrets, il se saoule la gueule pour oublier, se fait branler par les moines, pour s'abrutir, ne dort plus la nuit et ne s'arrête pas de pleurnicher ! Tout le mal qu'il fait à des gens qu'il connaît à peine, ça rend malade ! Parce qu'au fond, vous savez, ce n'est pas un mauvais vieux ! Seulement, il est faible… fatigué… usé ! Hum, hum… Ce qu'il lui faudrait, ma chère, c'est une femme sérieuse qui s'occuperait un peu de lui et non pas une éhontée pareille !

— Hum ! hum ! fit aussi le petit squelette courtaud, modestement.

— Hum… hum… fit aussi Tulipe, d'un air peu convaincu.

Les deux squelettes sursautèrent et braquèrent dans sa direction leurs orbites outrées.

— Nous sommes espionnées, ma chère ! s'écria le grand maigre, en se grattant le genou. Vous aurez bientôt fini d'écouter aux portes, jeune homme ?

— Honteux ! siffla le petit squelette courtaud, en se renfrognant.

— Beuh, hoqueta Tulipe, beuh ! Vous vous méprenez entièrement sur mes intentions, comme l'a dit un matin monsieur de Paris à mon excellent ami, Charles-le-Chauve, lorsque celui-ci eut refusé absolument de monter sur l'échafaud…

— Ça ne m'étonne pas ! observa insidieusement le grand squelette maigre.

— Quoi, s'intéressa Tulipe. Qu'est-ce qui vous étonne pas ? Qu'il lui a dit ça ?

— Non ! trancha le grand squelette maigre. Qu'il fût votre ami et qu'il mourût sur l'échafaud !

— Hi ! hi ! Hi ! pouffa le petit squelette courtaud, sur un ton particulièrement lugubre. Vous avez toujours le mot pour rire, ma chère !

— Hi ! hi, hi, hi ! pouffa aussi un rat qui écoutait là et il s'enfuit immédiatement, en rougissant, gêné d'avoir trahi sa présence.

— Elle est bien bonne, reconnut volontiers Tulipe. Seulement, mon copain, il est pas du tout mort sur l'échafaud. Quand il a entendu le bourreau lui dire une chose pareille, il est devenu aussitôt rouge brique et il est mort de saisissement. Il avait toujours été assez nerveux, ce garçon. Sa femme, en le voyant périr comme ça, prématurément, elle s'est jetée dans la Seine, leur fille s'est suicidée alors de désespoir, son fiancé s'est logé une balle dans la tête et le bourreau, auteur de ce quadruple drame, il s'est jamais pardonné la plaisanterie et il s'est consumé lentement de chagrin… Hou… hou… hou…

Et il étouffa un sanglot.

— Hou… hou… hou… sanglota aussi le grand squelette maigre. Quelle affreuse chose, mon Dieu.

— Quelle horrible méprise ! pleurnicha aussi le petit squelette courtaud, en se fourrant les poings dans les yeux. Quel tragique destin !

— Hou…hou… hou… se lamenta aussi le rat, qui était revenu et gêné d'avoir trahi ainsi sa présence, il s'enfuit en gémissant, la queue basse.

— Hou… hou… hou… fit aussi, tristement l'écho dans le souterrain.

Et il crut bon d'ajouter :

— Chienne de vie, va !

— Vous avez entendu, ma chère ? s'exclama le grand squelette maigre, avec courroux. Voilà encore l'écho qui se mêle de ce qui ne le regarde pas !

— Honteux ! tempêta le petit squelette courtaud.

— Tout à fait de votre avis ! Avez-vous terminé votre assiette, ma chère ? Oui ? Alors, bonne nuit !

Les deux squelettes se glissèrent dans leurs cercueils et soufflèrent leur bougie…

[*Les deux têtes*]

— Espèce d'ignoble mangeur de choucroute ! entendit alors Tulipe.

C'était une voix extrêmement mince et chevrotante, mais prodigieusement irritée, qui s'élevait à quelques pas à peine de l'endroit où il se trouvait, dans le souterrain noir…

— Ordure ! Imbécile ! Merdeux !

— Allons, daisez-fous donc, filaine bedide dêche greuse ! répondit haineusement une autre voix, avec un accent germanique très prononcé. Roulez blutôt rechointre fos chères amies les crenouilles ! Ne les endendez-fous pas, gui fous abellent ? Gui râlent, abrès fous ? Gui démantent à fous aimer ? Couac ! couac ! couac ! Gomme c'est choli ! Tes baroles d'amour ! Te tésir ! Tes bromesses folles, beut-être… allez-y tong eh, radé !

— Raté, moi ? Non, c'est trop fort !! Affreux mé…

Brusquement, la voix aiguë fut coupée et se noya dans le silence. Une autre voix, que Tulipe ne reconnut pas tout de suite, ricana longuement et dit :

— Je crois, Joe, qu'elles sont à point, maintenant ! Je crois bien, Joe, que le moment est venu de les boucher !

— Tel est également mon humble avis, Jim ! rétorqua une autre voix cassée des ténèbres. Car j'ai toujours soutenu que c'est lorsque les champions sont au comble de l'irritation et de la colère, qu'il fallait les boucher pour quelques secondes ! Ni plus tôt, ni plus tard ! C'est une vieille recette à moi, Jim !

— Non, mais, que me dis-tu là, Joe ? s'écria la première voix avec indignation. Tu sais bien, pourtant, que cette recette est de moi ! Aurais-tu vraiment l'insolence de prétendre le contraire ? Détrompe-moi, Joe, vite, détrompe-moi !

— Je ne te détromperai point, Jim, répondit froidement la deuxième voix. Je me bornerai simplement à te donner lecture de ces quelques indications que j'ai couchées par écrit, il y a quelque temps... Je lis : « Mettre le champion en colère, par tous les moyens appropriés... » Suit l'énumération de ces moyens appropriés, Joe. Je t'en fais grâce. « Le boucher ensuite soigneusement, au moyen d'un torchon. Il se chauffe ainsi à blanc... se charge à fond... mâche et remâche sa rage... et lorsqu'on le débouche, trr ! il donne immédiatement le maximum de sa puissance et de sa combativité ! »

— Ce mémoire est de moi ! Joe ! glapit la

première voix. J'en reconnais parfaitement la tournure !

— Je ne prolongerai plus cette vaine discussion, Jim ! rétorqua la deuxième voix, hautaine. Je te ferai simplement observer que tu as tort de donner libre cours à des sentiments aussi naturels que... hum ! que méprisables, Jim !

— Je te défends de traiter mes sentiments de méprisables, Joe !

— Je ne rétracte pas mes paroles. Quant à ce mémoire, la postérité se chargera d'en reconnaître le génial auteur. J'attends cet examen avec confiance, Jim...

— Cet examen est la seule chose que je souhaite encore en ce monde, Joe !

Le silence se fit. Tulipe tourna un coin et s'arrêta au seuil d'une tombe, dans l'ombre. La première chose qu'il vit, fut la table fameuse ; un couvercle de cercueil soutenu par quatre tibias enfoncés verticalement dans la terre. Il reconnut dès lors l'endroit, d'autant mieux que les deux petits vieillards jumeaux, aux visages entièrement envahis par les poils et aux gestes lents et précieux, se trouvaient toujours là, face à face... La bougie, sur la table, était bien plus petite que lorsque Tulipe l'avait vue pour la première fois, elle avait beaucoup pleuré depuis, mais donnait encore une lumière suffisante. À mesure que cette lumière baissait, les ombres des deux petits vieux grandissaient rapidement sur les parois de la tombe. Tulipe se tenait toujours immobile au seuil, la gueule béante d'étonnement, ne parvenant pas à détacher son regard de l'effarant spectacle. Sur la table, en effet, deux têtes étaient posées. Ce n'étaient cependant pas les têtes des deux distingués locataires de la tombe. Celles-ci reposaient bien en équilibre sur les épaules. De leurs maîtres. Non, c'étaient deux têtes indépendantes, et qui ne se ressemblaient nullement. Elles étaient pourtant toutes les deux horriblement rouges et faisaient penser à deux grosses marmites pleines de soupe bouillante, oubliées par une ménagère distraite sur son fourneau ; des bouffées de chaleur s'en dégageaient et pour compléter l'illusion, elles fumaient fortement, émettant une vapeur bleuâtre et floue… Les deux petits vieillards les regardaient avec amour et les tenaient fortement aux oreilles, comme pour les empêcher de se ruer l'une sur l'autre : cela ressemblait assez à un combat de coqs. Un torchon souillé obstruait la bouche de chaque tête et les empêchait de parler. Elles roulaient des yeux épouvantables, grinçaient des dents, suaient à grosses gouttes, poussaient des mugissements étouffés et leurs nez lançaient des sifflements aigus :

— Eh bien, Joe, mon ami, s'écria le premier petit vieillard, en trépignant d'impatience, crois-tu qu'elles sont à point ? Crois-tu que nous pouvons les lâcher, maintenant ? Vraiment, Joe ! Je meurs d'envie de les voir se prendre aux cheveux !

— L'impatience est le plus grand des maux, ne l'oublie jamais, Jim ! répliqua tranquillement son compagnon. Mon opinion est qu'il faut les laisser bouillir encore un petit peu !

— Si tu veux, Joe, si tu veux…

Tulipe continuait à observer les deux têtes. Celle de gauche avait une barbiche blanche, celle de droite était glabre et portait des lunettes d'or, dont un verre manquait. Elles étaient toutes les deux chauves, très vieilles, ratatinées, usées et continuaient à se regarder avec rage, soufflant violemment dans leur bâillon, dans le vain espoir de se déboucher…

— Eh bien, Jim, je crois que nous pouvons y aller !

— Allons-y, Joe ! Mon champion est tellement échauffé que ses oreilles me brûlent les doigts et que je le sens prêt à péter… Hopp !

D'un geste, ils débouchèrent les deux têtes. Malgré les mains qui la tenaient solidement aux oreilles, celle de gauche fit un petit bond et poussa un glapissement aigu, prolongé…

— Aaa ! Raté ! Il m'a traité de raté ! Non, c'est trop fort ! Comme si c'était moi qui avais secrété cette inénarrable petite ordure sur les origines de la civilisation aryenne… dont l'auteur a été publiquement traité de « primaire » par l'illustre professeur Grosset…

— Un philistin !

— Et d'imposteur par Green de l'Université de Columbia !

— Un baranoïague !

— Ah ! Tu as de la veine, va, d'être mort ! Comme cela, au moins, tu n'entendras pas l'univers scientifique tout entier se gondoler doucement et se taper le derrière par terre à la lecture de l'opuscule, vingt ans après la mort de l'auteur !

— Un point pour moi, Joe ! s'écria joyeusement le premier petit vieillard, cependant que, tous les deux, ils bouchaient rapidement les têtes. Un point pour moi !

— Pas du tout, Jim, mon ami, pas du tout ! Laisse donc à mon champion le temps de répondre ! Je le connais suffisamment pour pouvoir t'affirmer que tes espoirs seront vite déçus, mon bon ami !

— Je mets fortement en doute cette affirmation, Joe... Allons-y !

Ils débouchèrent les têtes...

— Eh pien, grinça celle de droite, il me soufient guant à moi, d'un draidé sur les sources profondes de la civilisation ladine...

— Quoi ? Quoi ? Quoi ?

— Fraiment, ger ami, c'est à la berfegtion que fous imitez fos excellentes amies les crenouilles... Le cirgue était fodre féridaple fogation ! Che fous barlait donc te cede lamendaple prochure tont l'auteur a été draidé d'« impécile brédentieux » par sir Oswald Bowley tans le dome segond te la bremière étition te sa remargable édute sur le même sujet...

— J'emmerde complètement sir Oswald Bowley !

— ... et te « paufre bedit itiot » par le regretté herr Proffessor Octafe Bichot, te l'Agadémie tes

Sciences morales et bolidigues, tant son oufrache mémoraple sur la guldure bré-métiderranéenne, dome I, bache 600, droisième alinéa…

— J'emmerde complètement le regretté professeur Octave Pichot ! Pour cette victime arriérée de la masturbation infantile, je n'ai que du mépris !

— Hi ! hi ! hi ! pouffèrent les deux petits vieillards, en bouchant rapidement les têtes, d'un geste adroit.

Les deux têtes enflèrent de rage impuissante, rougirent, mugirent affreusement et les yeux leur parurent devoir jaillir des orbites. Les deux petits vieux riaient aux larmes en les regardant. Les poils de leurs visages tremblaient violemment, comme si le vent soufflait dessus. Ils se tenaient cependant dans une immobilité relative, de crainte, sans doute d'endommager leurs habits. De la table, la bougie donnait une lueur de plus en plus petite et sur les parois de la tombe, les deux ombres grandissaient sans cesse.

— Un point pour moi, Jim ! s'écria enfin le deuxième petit vieux, en s'interrompant de rire. Avec ce que tu me devais déjà, cela fait… si je ne m'abuse… trente mille livres et cinquante shillings exactement !

— Je proteste, Joe, je proteste ! Le premier round avait nettement tourné à l'avantage de mon champion ! Tu as tort de vouloir me rouler, Joe… Tu as tort de me prendre pour un parfait idiot !

— Rassure-toi, Jim, mon ami. Je ne te prends

que pour ce que tu es… Mais trêve de querelles ! Que dirais-tu, Jim, d'un petit intermède sentimental ?

— Je dirais que c'est là une excellente idée, Joe !

Les deux aimables vieillards ôtèrent les têtes de la table, les placèrent au fond d'un sac et jetèrent celui-ci dans un coin. Ils allèrent fouiller ensuite dans un tas de chiffons souillés qui traînaient à l'autre bout de la tombe et en revinrent bientôt porteurs de deux nouvelles têtes qu'ils posèrent précautionneusement sur la table. Celle de gauche était une tête de jeune homme. Elle avait les cheveux noirs et des yeux tourmentés, éperdument romantiques. Mais son beau visage était couvert de bleus, comme s'il avait été longuement battu : un œil était poché, l'autre saignait légèrement et le front s'ornait de quelques bosses volumineuses. Celle de droite était une charmante tête de jeune fille. De longs cheveux blonds l'entouraient d'une auréole vaporeuse. Les yeux étaient immenses, bleus, d'une limpidité incomparable à l'ombre des grands cils frémissants. Des lèvres douloureusement arquées, rouges, d'un dessin très fin… Cependant, ses joues, son front, ses lèvres surtout, étaient couvertes d'odieuses taches brunes et grasses… Les deux têtes se regardèrent un instant en silence. Sur le visage de la jeune fille, quelques larmes glissèrent…

— Fillette ! murmura la tête de jeune homme. Ne pleure pas ! Ne pleure pas !

— Je ne peux plus m'empêcher, Henri...

— Ne pleure pas !

Malgré les mains qui les tenaient aux oreilles, les deux têtes se penchaient, se tendaient l'une vers l'autre, comme pour s'unir...

— Nous nous sommes tellement trompés, fillette ! murmura fiévreusement la tête de jeune homme. La vie valait mieux que cette déchéance... n'importe quelle vie ! Et dire que j'avais compté sur la mort pour nous unir malgré tout !

— Je ne regretterais rien, Henri, murmura la tête de jeune fille, si seulement je pouvais t'embrasser de temps en temps...

Elle se penchait en avant, les lèvres palpitantes... Mais les mains la retenaient durement.

— Voulez-vous lâchez immédiatement ses oreilles, horrible coquin ! cria la tête de jeune homme, d'une voix éraillée.

— Non, non... ne lui dis rien, Henri... murmura rapidement la tête de jeune fille. Il se vengera... il se venge terriblement ! Mais dis-moi, d'où te viennent ces affreuses traces de coups, sur ton visage ?

La tête de jeune homme garda un instant de silence.

— Eh bien, murmura-t-elle enfin, avec résignation, ce sont les quilles...

— Les quilles ?

— Oui... L'ignoble vieux qui me tient joue aux quilles, tous les soirs... Les quilles, ce sont des tibias... et moi, je suis la boule !

Il se tut. Sur les joues de la jeune fille, les larmes glissaient de plus en plus vite…

— Mais toi aussi, fillette… D'où te viennent, sur la figure, ces odieuses taches brunes.

La tête de jeune fille ne répondit rien. À présent, ses yeux étaient clos… Mais les larmes continuaient à couler et ses lèvres tremblaient légèrement…

— Fillette ! réponds-moi !

Un courant d'air fit trembler les cheveux blonds. Une pâleur affreuse avait envahi le visage. Et les yeux demeuraient clos…

— Réponds ! Tu me fais peur !

— Et bien, grinça soudain le deuxième petit vieillard, puisqu'elle ne veut rien te dire, je te les expliquerai, moi les taches ! N'est-ce pas, Jim ?

— Certainement, Joe, certainement ! Tu es mieux placé que n'importe qui pour ce faire, mon bon ami !

— Ne dites rien ! cria la tête de jeune fille, d'une voix étranglée, en ouvrant largement les yeux. Je vous en supplie !

— Elles viennent, aboya le vieux, elles viennent de ce que tous les soirs je me torche le cul avec le visage de ta bien aimée !

— Hé ! hé ! hé ! ricana le premier petit vieillard.

— Vieux saligauds ! hurla Tulipe, d'une voix aiguë, qu'il ne se connaissait pas, qui lui blessa la gorge, comme une lame de rasoir et s'élançant soudain de sa cachette, il se précipita sur les deux petits vieillards, les saisit au collet, les frappa…

— Ne nous touchez pas ! piaillèrent-ils avec épouvante.

Tulipe sentit ses bras pénétrer dans quelque chose de mou, de flasque… Il vit avec horreur les deux petits vieux fondre littéralement entre ses mains, si vides, comme deux ballons crevés, cependant qu'une matière innommable, une sorte de poussière nauséabonde coulait à flots continus des trous que ses bras avaient pratiqués dans leurs poitrines… Il les vit encore tituber un instant, s'efforçant en vain de boucher les trous avec leurs mains, leurs bras…

— Jim ! hurlait l'un.

— Joe ! hurlait l'autre.

— Je me fonds !

— Je me meurs !

— Je me vide !

— Je me répands !

— Ils nous a tués, Jim !

— Assassinés, Joe !

— Bouche-moi vite ! Jim !

— Non, bouche-moi d'abord, bouche-moi d'abord, Joe !

— Bouchez-nous ! Bouchez-nous !

— Jim !…

— Joe !…

[*L'âme humaine*]

Au même moment la bougie s'éteignit et cependant qu'une voix soufflait dans le noir un « merci ! » lourd de larmes, Tulipe se rua hors de la tombe, toussant à vomir les entrailles, dans la poussière puante qui montait du sol, hurlant, blasphémant dans les ténèbres hilares et déchaînées qui s'amusaient à lui jeter des pierres, à le culbuter dans la boue, à le gifler, à lui donner des coups de pied au cul formidables, à lui hurler aux oreilles des menaces horribles, à lui pincer les fesses, à lui mordiller les couilles, Tulipe courut, en brandissant vers le ciel invisible un poing vengeur et en vomissant, de temps en temps à intervalles réguliers, comme s'il plantait des jalons pour retrouver sa route, il courut, courut, courut et jaillit soudain du souterrain noir tel un bouchon quittant bruyamment le goulot d'une bouteille de champagne dans une fosse immense où les crânes à huile s'ornaient de magnifiques lueurs jaunes, rouges, vertes, et autres et grimaçaient et se balançaient joyeusement au rythme de la fosse, qui tanguait, qui roulait comme un navire, comme une moukère, comme Tulipe, comme vous, comme moi, comme l'univers tout entier, cul à droite, cul à gauche, cul en avant, cul en arrière, et cul par-dessus tête et la clameur le prit de tous côtés, le prit dans ses bras, comme une mère, et un flic rose et doux, qui se rongeait, assis sur un cercueil, le petit doigt de son pied gauche lui fit un beau sourire, lui lança un pet de bienvenue et le salua gentiment, cul à droite, cul à gauche, cul en avant, cul en arrière et cul par-dessus tête. Armé d'un harmonica, un très pittoresque squelette ayant pour tout vêtement un très-long-un-très-usé-un-très-très-sale-caleçon à raies rouges comme le cauchemar d'un taureau et sur la poitrine, un rectangle de peau fixé avec des punaises, ainsi que cinq poils solitaires — laquelle peau et lesquels poils faisaient leur possible — c'est-à-dire très peu — pour dissimuler les os qui pointaient insolemment de partout — jouait sur son harmonica des airs particulièrement entraînants qui faisaient la joie, les délices de l'assistance. À ses côtés, un petit flic tout nu et appétissant qui portait un haut de forme et ressemblait comme deux gouttes d'eau à monsieur le Président de la République — hurrah ! hurrah ! hurrah ! — pissait discrètement dans la bouche d'un pauvre petit collègue à demi mangé par les vers et incapable de se défendre et qui mugissait, oh combien sombrement ! de véhémentes protestations. Les flics étaient, il faut le dire, de très bonne humeur car ils venaient de faire ripaille et quand les flics font ripaille, ils se réjouissent et quand les flics se réjouissent, ils boivent — hi ! ha ! ho ! Aussi beuvaient-ils mes braves petits flics bien aimés. Et que beuvaient-ils ? Du sang — mmm ! mmm ! bordel de Dieu ! ça m'fait v'nir l'eau à la bouche. Oui, oui, oui, du sang, du vrai, du rouge, du chaud, du bon sang des humbles, lequel est — chacun le sait ! — le plus doux, le plus généreux et le plus parfumé de tous les bons vieux sangs du monde ! Ils beuvaient ! Il beuvaient ! Assis sur les cercueils, assis par terre, assis ou pas assis — c'est-à-dire, debout ou couchés — il y a hi ! hi hi ! des gens qui ne comprennent rien et à qui il faut tout expliquer. Ils beuvaient ! Ils beuvaient ! Dans un coin de la fosse, il y avait un gros tonneau rond, bien gros et bedonnant, et Tulipe se jeta dessus comme un pape mourant sur les saints sacrements, et ayant fait voler en poussière les quelques flics miteux qui prétendaient lui en barrer l'accès, il s'aplatit d'abord devant lui, comme devant le Seigneur et puis contre lui, comme l'amante contre l'amant et se mit à sucer le bon bout se réjouissant de ce qu'on appelle la chaleur animale qui montait dans ses intestins et se répandit en lui des pieds à la tête, qui grandissait en lui à la manière d'un bel autodafé dans lequel on brûlerait la misère, la désolation, les flics, le remords, l'angoisse et toutes les autres larves et vermines de cette ignoble petite putain toujours si crasseuse et malodorante qu'on appelle l'âme humaine. Il se mit à boire, fermant les yeux pour ne pas voir la meute hideuse des flics qui l'entouraient — se bouchant les oreilles, pour ne pas entendre leurs cris stridents qui déchiraient le ciel — se bouchant le nez pour ne pas sentir cette puanteur odieuse qui se dégageait d'eux — une belle puanteur ! une fière puanteur ! Elle témoigne d'un accord entre les hommes dans lequel Dieu lui-même est intervenu ! Et le très pittoresque squelette au caleçon à raies rouges comme des coquelicots dans les blés, continuait à baver dans son harmonica et il y bavait si bien, les sons qu'il en tirait étaient si gais, si entraînants, que toutes les souris — et il y en avait ! — qui rongeaient comme une sacrée vérole la fosse entière et les cercueils et ceux aussi qui étaient dedans — oui, ma chère, oui ! tout comme une vérole ! que ces braves souris donc, dansaient la gigue devant les souricières sidérées et que les rats, les rats, les rats ! se caressaient les moustaches et se pourléchaient les babines et puis dansaient aussi, la queue droite et raide, perpendiculaire au plan de leurs derrières. Et à ce moment précis Tulipe vit avec un étonnement joyeux une hideuse putain délicieusement nue, surgir brusquement dans la fosse. Le très pittoresque squelette en caleçon à raies rouges comme la couleur du même nom, avala d'un coup son harmonica, le petit flic rose et doux se mordit profondément le petit doigt de son pied gauche, Tulipe vomit, la fosse fit une embardée, les crânes à huile agrandirent leur flamme afin de mieux voir, trois pauvres vieux flics décorés volèrent en poussière incontinent — en un mot, la surprise fut aussi profonde que générale : nue, comme un bébé fraîchement éclos, la nouvelle venue tenait devant elle, sur un plateau, sa paire de seins juteux, pantelants, bien emmêlés, grimaçants, mutins et à ce point désirables, que tout flic digne de ce nom, à la vue d'une paire de seins pareils, se sent brutalement empoigné à la chevelure et précipité tout de go dans la débauche, la luxure, le vice et moult autres ornements de l'enfer…

— Qui les veult ? Qui les veult ? Qui les veult ? brailla la vieille en remuant le plateau d'un air engageant. Chauds, les nichons, chauds ! Vingt sous la paire, la paire vingt sous !

Le très pittoresque squelette au caleçon à raies rouges comme le derrière d'un ouistiti vomit son harmonica, qui s'envola de sa bouche avec un son plaintif et serrant les fesses — le squelette ! Le squelette ! Pas l'harmonica ! — il mit le cap sur les deux nichons qu'il voyait poindre à l'horizon comme un soleil, car, étant saoul, il s'imaginait voir double, le petit flic rose et doux se leva et bondit d'un seul coup sur le plateau, comme une puce, le flic tout nu qui ressemblait tellement à Monsieur le Président de la République — hurrah ! hurrah ! hurrah ! — et qui pissait avec pénétration dans la bouche de son collègue incapable de se défendre et mugissant, interrompit sa funeste besogne et se mit à mugir lui-même de façon si terrible, si impressionnante, que son phallus fut saisi de peur, se détacha brusquement de sa personne, sauta à terre et s'enfuit clopin-clopant — en un mot, la fosse entière s'ébranla, se rua, bondit sur la vieille, qui, les genoux pliés et les cuisses bien largement écartées, comme pour mieux le faire voir, les seins bondissant et aboyant comme deux caniches sur le plateau, entourée de faces grimaçantes comme ces figures de cire dans les panopticums où les petits papas mènent leurs petits jeunes gens pour leur inoculer une frousse salutaire de la vérole, qu'ils attraperont quand même, comme tout le monde, comme vous et moi — hurlait :

— Chauds les nichons ! chauds les nichons ! chauds ! vingt sous la paire, vingt sous !

Mais là-dessus, elle dut se taire, car des mains innombrables la saisirent, l'enlevèrent et c'est alors que la mêlée devint impossible à décrire : des râles montaient de partout, des hurlements, on s'entremordait, s'entredéchirait et chacun voulant jouir au plus vite, une lutte terrible s'engagea, une mêlée bouffonne de bras, de fesses, d'yeux et de petits doigts d'pied, une boule immense, faite de matières flicales, roula sur le sol, cul en avant, cul en arrière, cul à gauche, cul à droite, et cul par-dessus tête, se cognant aux cercueils, aux dalles, aux murs, roula, roula, au gré des embardées de la fosse, les crânes à huile s'éteignirent bien vite pour ne pas voir et la vieille fut saisie à l'improviste, étendue dans un cercueil et proprement, comme on dit, baisée par le très-joyeux flic rose et doux qui la prit et reprit par soixante et quinze fois à la file, sans pour cela reprendre haleine, cependant que la tempête de flics faisait rage autour d'eux, que l'obscurité profonde les entourait et que la fosse entière retentissait de bruits sonores, cris, râles, pets et cætera…

Tulipe brailla, gigota, ouvrit les yeux et vit que la nuit n'était plus.

Il vit aussi qu'il était assis à califourchon sur une tombe et que ses bras serraient une bouteille vide et une croix. Un petit jour terreux lui collait au visage de toute sa lumière pâle et morne.

Par-dessus la grille du cimetière, il voyait le bec de gaz éteint, un sol boueux et au loin, des maisons, la ville.

Un brouillard laiteux flottait au-dessus des toits.

Des cheminées fumaient.

La fumée montait en l'air, droite, raide et figée.

Des oiseaux se débattaient dans la brume, comme dans une immense toile d'araignée.

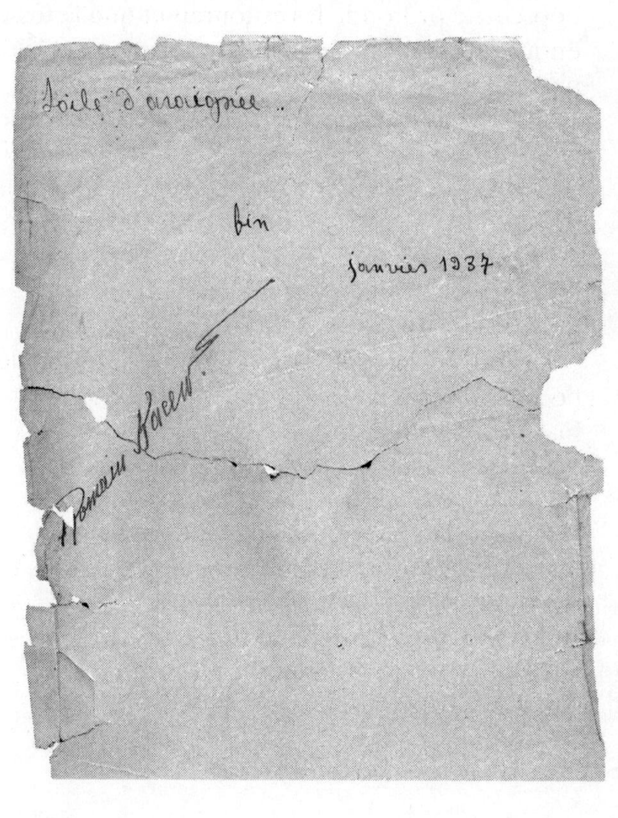
Toile d'araignée ..

fin

janvier 1937

Romain Kacew

DU MÊME AUTEUR

Aux Éditions Gallimard

LE GRAND VESTIAIRE, *roman* (Folio n° 1678).

ÉDUCATION EUROPÉENNE, *roman* (Folio n° 203).

LES RACINES DU CIEL, *roman* (Folio n° 242).

TULIPE, *récit.* Édition définitive en 1970 (Folio n° 3197).

LA PROMESSE DE L'AUBE, *récit.* Édition définitive en 1980 (Folio n° 373).

JOHNNIE CŒUR. Comédie en deux actes et neuf tableaux.

LADY L., *roman* (Folio n° 304).

FRÈRE OCÉAN :

I. POUR SGANARELLE. Recherche d'un personnage et d'un roman, *essai* (Folio n° 3903).

II. LA DANSE DE GENGIS COHN, *roman* (Folio n° 2730).

III. LA TÊTE COUPABLE, *roman.* Édition définitive (Folio n° 1204).

LA COMÉDIE AMÉRICAINE :

I. LES MANGEURS D'ÉTOILES, *roman* (Folio n° 1257).

II. ADIEU GARY COOPER, *roman* (Folio n° 2328).

CHIEN BLANC, *roman* (Folio n° 50).

LES TRÉSORS DE LA MER ROUGE, *récit* (Folio 2 € n° 4914).

EUROPA, *roman.*

EUROPA *précédé de* Note pour l'édition américaine d'EUROPA, *traduit de l'anglais par Paul Audi* (Folio n° 3273).

LES ENCHANTEURS, *roman* (Folio n° 1904).

LA NUIT SERA CALME, *récit* (Folio n° 719).

LES TÊTES DE STÉPHANIE, *roman.* Nouvelle édition en 1977 de l'ouvrage paru sous le pseudonyme de Shatan Bogat (Folio n° 5557).

AU-DELÀ DE CETTE LIMITE VOTRE TICKET N'EST PLUS VALABLE, *roman* (Folio n° 1048).

LES OISEAUX VONT MOURIR AU PÉROU. Cet ouvrage a paru

pour la première fois sous le titre *Gloire à nos illustres pionniers* en 1962 (Folio n° 668).

UNE PAGE D'HISTOIRE et autres nouvelles, extrait de LES OISEAUX VONT MOURIR AU PÉROU (Folio 2 € n° 3759).

CLAIR DE FEMME, *roman* (Folio n° 1367).

CHARGE D'ÂME, *roman* (Folio n° 3015).

LA BONNE MOITIÉ. Comédie dramatique en deux actes.

LES CLOWNS LYRIQUES, *roman.* Nouvelle version de l'ouvrage paru en 1952 sous le titre *Les Couleurs du jour* (Folio n° 2084).

LES CERFS-VOLANTS, *roman* (Folio, n° 1467).

VIE ET MORT D'ÉMILE AJAR.

L'HOMME À LA COLOMBE, *roman.* Version définitive de l'ouvrage paru en 1958 sous le pseudonyme de Fosco Sinibaldi (L'Imaginaire n° 500).

ÉDUCATION EUROPÉENNE, *suivi de* LES RACINES DU CIEL *et de* LA PROMESSE DE L'AUBE. *Avant-propos de Bertrand Poirot-Delpech,* coll. « Biblos ».

ODE À L'HOMME QUI FUT LA FRANCE ET AUTRES TEXTES AUTOUR DU GÉNÉRAL DE GAULLE. *Édition de Paul Audi* (Folio n° 3371).

LE GRAND VESTIAIRE. Illustrations d'André Verret, coll. « Futuropolis/Gallimard ».

L'AFFAIRE HOMME. *Édition de Jean-François Hangouët et Paul Audi* (Folio n° 4296).

TULIPE OU LA PROTESTATION, coll. « La Manteau d'Arlequin ».

LÉGENDES DU JE, coll. « Quarto ».

LE SENS DE MA VIE, *entretien* (Folio n° 6011).

LE VIN DES MORTS, *roman,* Cahiers de la NRF (Folio n° 6310).

Dans la collection Écoutez lire

LA VIE DEVANT SOI (4 CD).

LA PROMESSE DE L'AUBE (2 CD).

Aux Éditions du Mercure de France

Sous le pseudonyme d'Émile Ajar

GROS-CÂLIN, *roman* (Folio n° 5493, édition augmentée de la fin initialement souhaitée par l'auteur).

LA VIE DEVANT SOI, *roman* (Folio n° 1362 ; La Bibliothèque Gallimard n° 102 et Classico Lycée n° 29).

PSEUDO, *récit* (Folio n° 3984).

L'ANGOISSE DU ROI SALOMON, *roman* (Folio n° 1797).

ŒUVRES COMPLÈTES D'ÉMILE AJAR. Préface de Romain Gary : « Vie et mort d'Émile Ajar », coll. « Mille Pages ».

COLLECTION FOLIO

Dernières parutions

5956. Lao-tseu	*Tao-tö king*
5957. Marc Aurèle	*Pensées. Livres I-VI*
5958. Montaigne	*Sur l'oisiveté et autres essais en français moderne*
5959. Léonard de Vinci	*Prophéties* précédé de *Philosophie* et *Aphorismes*
5960. Alessandro Baricco	*Mr Gwyn*
5961. Jonathan Coe	*Expo 58*
5962. Catherine Cusset	*La blouse roumaine*
5963. Alain Jaubert	*Au bord de la mer violette*
5964. Karl Ove Knausgaard	*La mort d'un père*
5965. Marie-Renée Lavoie	*La petite et le vieux*
5966. Rosa Liksom	*Compartiment n° 6*
5967. Héléna Marienské	*Fantaisie-sarabande*
5968. Astrid Rosenfeld	*Le legs d'Adam*
5969. Sempé	*Un peu de Paris*
5970. Zadie Smith	*Ceux du Nord-Ouest*
5971. Michel Winock	*Flaubert*
5972. Jonathan Coe	*Les enfants de Longsbridge*
5973. Anonyme	*Pourquoi l'eau de mer est salée et autres contes de Corée*
5974. Honoré de Balzac	*Voyage de Paris à Java*
5975. Collectif	*Des mots et des lettres*
5976. Joseph Kessel	*Le paradis du Kilimandjaro et autres reportages*
5977. Jack London	*Une odyssée du Grand Nord*
5978. Thérèse d'Avila	*Livre de la vie*
5979. Iegor Gran	*L'ambition*
5980. Sarah Quigley	*La symphonie de Leningrad*
5981. Jean-Paul Didierlaurent	*Le liseur du 6h27*

5982. Pascale Gautier — *Mercredi*
5983. Valentine Goby — *Sept jours*
5984. Hubert Haddad — *Palestine*
5985. Jean Hatzfeld — *Englebert des collines*
5986. Philipp Meyer — *Un arrière-goût de rouille*
5987. Scholastique Mukasonga — *L'Iguifou*
5988. Pef — *Ma guerre de cent ans*
5989. Pierre Péju — *L'état du ciel*
5990. Pierre Raufast — *La fractale des raviolis*
5991. Yasmina Reza — *Dans la luge d'Arthur Schopenhauer*
5992. Pef — *Petit éloge de la lecture*
5993. Philippe Sollers — *Médium*
5994. Thierry Bourcy — *Petit éloge du petit déjeuner*
5995. Italo Calvino — *L'oncle aquatique*
5996. Gérard de Nerval — *Le harem*
5997. Georges Simenon — *L'Étoile du Nord*
5998. William Styron — *Marriott le marine*
5999. Anton Tchékhov — *Les groseilliers*
6000. Yasmina Reza — *Adam Haberberg*
6001. P'ou Song-ling — *La femme à la veste verte*
6002. H. G. Wells — *Le cambriolage d'Hammerpond Park*
6003. Dumas — *Le Château d'Eppstein*
6004. Maupassant — *Les Prostituées*
6005. Sophocle — *Œdipe roi*
6006. Laura Alcoba — *Le bleu des abeilles*
6007. Pierre Assouline — *Sigmaringen*
6008. Yves Bichet — *L'homme qui marche*
6009. Christian Bobin — *La grande vie*
6010. Olivier Frébourg — *La grande nageuse*
6011. Romain Gary — *Le sens de ma vie* (à paraître)
6012. Perrine Leblanc — *Malabourg*
6013. Ian McEwan — *Opération Sweet Tooth*
6014. Jean d'Ormesson — *Comme un chant d'espérance*
6015. Orhan Pamuk — *Cevdet Bey et ses fils*

6016.	Ferdinand von Schirach	*L'affaire Collini*
6017.	Israël Joshua Singer	*La famille Karnovski*
6018.	Arto Paasilinna	*Hors-la-loi*
6019.	Jean-Christophe Rufin	*Les enquêtes de Providence*
6020.	Maître Eckart	*L'amour est fort comme la mort* et autres textes
6021.	Gandhi	*La voie de la non-violence*
6022.	François de La Rochefoucauld	*Maximes*
6023.	Collectif	*Pieds nus sur la terre sacrée*
6024.	Saâdi	*Le Jardin des Fruits*
6025.	Ambroise Paré	*Des monstres et prodiges*
6026.	Antoine Bello	*Roman américain*
6027.	Italo Calvino	*Marcovaldo* (à paraître)
6028.	Erri De Luca	*Le tort du soldat*
6029.	Slobodan Despot	*Le miel*
6030.	Arthur Dreyfus	*Histoire de ma sexualité*
6031.	Claude Gutman	*La loi du retour*
6032.	Milan Kundera	*La fête de l'insignifiance*
6033.	J.M.G. Le Clezio	*Tempête* (à paraître)
6034.	Philippe Labro	*« On a tiré sur le Président »*
6035.	Jean-Noël Pancrazi	*Indétectable*
6036.	Frédéric Roux	*La classe et les vertus*
6037.	Jean-Jacques Schuhl	*Obsessions*
6038.	Didier Daeninckx – Tignous	*Corvée de bois*
6039.	Reza Aslan	*Le Zélote*
6040.	Jane Austen	*Emma*
6041.	Diderot	*Articles de l'Encyclopédie*
6042.	Collectif	*Joyeux Noël*
6043.	Tignous	*Tas de riches*
6044.	Tignous	*Tas de pauvres*
6045.	Posy Simmonds	*Literary Life*
6046.	William Burroughs	*Le festin nu*
6047.	Jacques Prévert	*Cinéma* (à paraître)
6048.	Michèle Audin	*Une vie brève*

6049. Aurélien Bellanger *L'aménagement du territoire*
6050. Ingrid Betancourt *La ligne bleue*
6051. Paule Constant *C'est fort la France !*
6052. Elena Ferrante *L'amie prodigieuse*
6053. Éric Fottorino *Chevrotine*
6054. Christine Jordis *Une vie pour l'impossible*
6055. Karl Ove Knausgaard *Un homme amoureux, Mon combat II*
6056. Mathias Menegoz *Karpathia*
6057. Maria Pourchet *Rome en un jour*
6058. Pascal Quignard *Mourir de penser*
6059. Éric Reinhardt *L'amour et les forêts*
6060. Jean-Marie Rouart *Ne pars pas avant moi*
6061. Boualem Sansal *Gouverner au nom d'Allah* (à paraître)
6062. Leïla Slimani *Dans le jardin de l'ogre*
6063. Henry James *Carnets*
6064. Voltaire *L'Affaire Sirven*
6065. Voltaire *La Princesse de Babylone*
6066. William Shakespeare *Roméo et Juliette*
6067. William Shakespeare *Macbeth*
6068. William Shakespeare *Hamlet*
6069. William Shakespeare *Le Roi Lear*
6070. Alain Borer *De quel amour blessée* (à paraître)
6071. Daniel Cordier *Les feux de Saint-Elme*
6072. Catherine Cusset *Une éducation catholique*
6073. Eugène Ébodé *La Rose dans le bus jaune*
6074. Fabienne Jacob *Mon âge*
6075. Hedwige Jeanmart *Blanès*
6076. Marie-Hélène Lafon *Joseph*
6077. Patrick Modiano *Pour que tu ne te perdes pas dans le quartier*
6078. Olivia Rosenthal *Mécanismes de survie en milieu hostile*
6079. Robert Seethaler *Le tabac Tresniek*
6080. Taiye Selasi *Le ravissement des innocents*

6081. Joy Sorman — *La peau de l'ours*
6082. Claude Gutman — *Un aller-retour*
6083. Anonyme — *Saga de Hávardr de l'Ísafjördr*
6084. René Barjavel — *Les enfants de l'ombre*
6085. Tonino Benacquista — *L'aboyeur*
6086. Karen Blixen — *Histoire du petit mousse*
6087. Truman Capote — *La guitare de diamants*
6088. Collectif — *L'art d'aimer*
6089. Jean-Philippe Jaworski — *Comment Blandin fut perdu*
6090. D.A.F. de Sade — *L'Heureuse Feinte*
6091. Voltaire — *Le taureau blanc*
6092. Charles Baudelaire — *Fusées – Mon cœur mis à nu*
6093. Régis Debray et Didier Lescri — *La laïcité au quotidien. Guide pratique*
6094. Salim Bachi — *Le consul* (à paraître)
6095. Julian Barnes — *Par la fenêtre*
6096. Sophie Chauveau — *Manet, le secret*
6097. Frédéric Ciriez — *Mélo*
6098. Philippe Djian — *Chéri-Chéri*
6099. Marc Dugain — *Quinquennat*
6100. Cédric Gras — *L'hiver aux trousses. Voyage en Russie d'Extrême-Orient*
6101. Célia Houdart — *Gil*
6102. Paulo Lins — *Depuis que la samba est samba*
6103. Francesca Melandri — *Plus haut que la mer*
6104. Claire Messud — *La Femme d'En Haut*
6105. Sylvain Tesson — *Berezina*
6106. Walter Scott — *Ivanhoé*
6107. Épictète — *De l'attitude à prendre envers les tyrans*
6108. Jean de La Bruyère — *De l'homme*
6109. Lie-tseu — *Sur le destin*
6110. Sénèque — *De la constance du sage*
6111. Mary Wollstonecraft — *Défense des droits des femmes*

6112. Chimamanda Ngozi Adichie	*Americanah*
6113. Chimamanda Ngozi Adichie	*L'hibiscus pourpre*
6114. Alessandro Baricco	*Trois fois dès l'aube*
6115. Jérôme Garcin	*Le voyant*
6116. Charles Haquet et Bernard Lalanne	*Procès du grille-pain et autres objets qui nous tapent sur les nerfs*
6117. Marie-Laure Hubert Nasser	*La carapace de la tortue*
6118. Kazuo Ishiguro	*Le géant enfoui*
6119. Jacques Lusseyran	*Et la lumière fut*
6120. Jacques Lusseyran	*Le monde commence aujourd'hui*
6121. Gilles Martin-Chauffier	*La femme qui dit non*
6122. Charles Pépin	*La joie*
6123. Jean Rolin	*Les événements*
6124. Patti Smith	*Glaneurs de rêves*
6125. Jules Michelet	*La Sorcière*
6126. Thérèse d'Avila	*Le Château intérieur*
6127. Nathalie Azoulai	*Les manifestations*
6128. Rick Bass	*Toute la terre qui nous possède*
6129. William Fiennes	*Les oies des neiges*
6130. Dan O'Brien	*Wild Idea*
6131. François Suchel	*Sous les ailes de l'hippocampe. Canton-Paris à vélo*
6132. Christelle Dabos	*Les fiancés de l'hiver. La Passe-miroir, Livre 1*
6133. Annie Ernaux	*Regarde les lumières mon amour*
6134. Isabelle Autissier et Erik Orsenna	*Passer par le Nord. La nouvelle route maritime*
6135. David Foenkinos	*Charlotte*

6136. Yasmina Reza — *Une désolation*
6137. Yasmina Reza — *Le dieu du carnage*
6138. Yasmina Reza — *Nulle part*
6139. Larry Tremblay — *L'orangeraie*
6140. Honoré de Balzac — *Eugénie Grandet*
6141. Dôgen — *La Voie du zen. Corps et esprit*
6142. Confucius — *Les Entretiens*
6143. Omar Khayyâm — *Vivre te soit bonheur ! Cent un quatrains de libre pensée*
6144. Marc Aurèle — *Pensées. Livres VII-XII*
6145. Blaise Pascal — *L'homme est un roseau pensant. Pensées (liasses I-XV)*
6146. Emmanuelle Bayamack-Tam — *Je viens*
6147. Alma Brami — *J'aurais dû apporter des fleurs*
6148. William Burroughs — *Junky* (à paraître)
6149. Marcel Conche — *Épicure en Corrèze*
6150. Hubert Haddad — *Théorie de la vilaine petite fille*
6151. Paula Jacques — *Au moins il ne pleut pas*
6152. László Krasznahorkai — *La mélancolie de la résistance*
6153. Étienne de Montety — *La route du salut*
6154. Christopher Moore — *Sacré Bleu*
6155. Pierre Péju — *Enfance obscure*
6156. Grégoire Polet — *Barcelona !*
6157. Herman Raucher — *Un été 42*
6158. Zeruya Shalev — *Ce qui reste de nos vies*
6159. Collectif — *Les mots pour le dire. Jeux littéraires*
6160. Théophile Gautier — *La Mille et Deuxième Nuit*
6161. Roald Dahl — *À moi la vengeance S.A.R.L.*
6162. Scholastique Mukasonga — *La vache du roi Musinga*
6163. Mark Twain — *À quoi rêvent les garçons*
6164. Anonyme — *Les Quinze Joies du mariage*
6165. Elena Ferrante — *Les jours de mon abandon*

Composition Nord compo
Impression Novoprint
à Barcelone , le 05 avril 2017
Dépôt légal : avril 2017

ISBN 978-2-07-079271-9./Imprimé en Espagne.